LES PENSÉES

Alphonse Allais

Les Pensées

RECUEILLIES
PAR

Robert CHOUARD
Président de l'Académie Alphonse-Allais

COLLECTION
« LES PENSÉES »

le cherche midi éditeur
23, rue du Cherche-Midi 75006 Paris

AVIS À LA POPULATION !

L'imprimerie est à l'édition ce que la trompette est à Aïda, la crème à l'escalope normande ou l'explosion au moteur : ils ne peuvent rien les uns sans les autres. Forts de cette conviction, l'imprimeur et l'éditeur soussignés ont voulu réunir leurs efforts pour mettre à la portée du grand public celui qu'ils tiennent pour un des pères de l'humour contemporain.

Depuis longtemps leur amitié était scellée par le ciment inaltérable de l'admiration bétonnée qu'ils portaient au sieur Allais Alphonse. Hélas, il manquait un socle à la statue qu'ils voulaient ensemble ériger à sa gloire. Ce socle, le voici : un ouvrage mitonné avec amour, comme un plat à l'ancienne, par de fins cordons bleus, avant d'être passé à la rotative à feu doux pour devenir un suprême d'humour allaisien au velouté de calembour et de distique olorime, avec une pointe d'absurde existentiel.

L'imprimeur et l'éditeur sont fiers de présenter à leurs amis et lecteurs fidèles cette quintessence de la pensée d'Alphonse Allais. Contrairement à ce qui se passe pour la plupart des produits actuellement sur le marché, celui-ci ne porte aucune date limite de consommation. Il restera frais pendant des décennies, voire des siècles, pour satisfaire tous les affamés de rire *Made in France*.

Qu'on se le dise : cet Allais vaut le retour !

Paul-Arnaud Hérissey   Jean Orizet

« Nous rêvons depuis longtemps de publier une anthologie d'Allais.
Les fleurs sont abondantes : mais le bouquet est difficile à faire.
Pour qu'il garde son charme, il ne faut pas qu'il soit serré. »

Tristan Bernard

AVANT-PROPOS

Alphonse Allais, vous connaissez ? (1)

Bien sûr, qui en France aujourd'hui ne le connaît pas ? ... son nom surtout.

Pas un soir où ne soit évoqué son humour au cours de l'émission « Les Grosses Têtes ». Lorsque Philippe Bouvard pose la question « De qui est la citation ... ? », instinctivement tous les invités de service répondent en chœur : « Alphonse Allais ! »

Cas unique dans l'histoire de la littérature française, le grand « Alphi » — comme le surnommaient ses intimes — doit sa gloire posthume à ses bons mots bien plus qu'à son œuvre immense que personne d'ailleurs n'a jamais lue intégralement.

Et pourtant...

Savez-vous que, champion du monde toutes catégories de la fable-express et du distique olorime, Alphonse Allais a écrit plus que Victor Hugo ?... 1680 contes rédigés en 25 ans, à la moyenne de 2 à 3 par semaine. Record battu ! Pendant la même période, Maupassant n'en a publié que 254. Et le style d'Allais n'a rien à envier à celui de son compatriote normand. Oublié pendant près d'un demi-siècle, celui qu'on a surnommé à juste titre « la Vache Allais », tant son œuvre a été pillée, retrouve peu à peu la place qui lui est due.

---

(1) Né en 1854, mort en 1905.

Ce touche-à-tout glorieux de la littérature a été un véritable écrivain, tant en vers qu'en prose, et si sa production est si mal connue du grand public, c'est qu'elle se disperse pendant ces vingt-cinq années dans huit journaux différents ayant pour nom : « Le Tintamarre », « Les Hydropathes », « L'Anti-Concierge », « Le Courrier Français », « Le Tout-Paris », « Le Mirliton », le célèbre « Chat Noir », bien sûr, et « Le Sourire » — dont il garda la direction jusqu'à sa mort —, et il faut avoir la patience d'aller fouiller dans ces trésors cachés de la Bibliothèque Nationale pour en découvrir toute l'importance.

Seuls, ses contes ont été réunis, en partie, dans onze recueils publiés de son vivant, et ne donnent qu'une idée imparfaite de son talent.

C'est pourquoi nous avons voulu honorer sa mémoire en rassemblant pour la première fois dans un seul ouvrage la quintessence de :

LA PENSÉE ALLAISIENNE

Ce livre présente la palette complète de son talent. Humour rose, humour noir, vers, prose, maximes, fable express, distique olorime, breuvages, calembours, inventions mirobolantes, rien ne lui a été étranger !

Certes, il s'agit d'une sélection et, comme tout choix, celui-ci peut être contestable. Mais notre seule ambition est que le lecteur, qui a fait l'effort de mieux connaître Allais, en refermant la dernière page, ait une idée exacte de celui qui a tant apporté à l'esprit français, de son génie créateur dans tous les domaines de la littérature, et dont la phrase correcte et pure — car elle est faite pour être lue — a gardé les inflexions et le rythme de sa voix.

> « Le lait agité, remué, dès le premier tour
> Peu à peu se coagule,
> Virgule,
> Pour former un beurre excellent... »

Comme nous, au fil de la lecture, en survolant son œuvre si riche en idées, en gags, en jeux de l'esprit, le lecteur se posera des questions ... Et ce n'est certes pas un hasard si le pharmacien d'Honfleur est reconnu aujourd'hui comme le père spirituel de tous les grands humoristes français du XXe siècle.

Les mots d'esprit d'un Sacha Guitry, qui fut son collaborateur (2), le style d'un Jacques Prévert (qui lui a consacré un long poème), « La réform de lortograph » d'un Raymond Queneau, les loufoqueries d'un Pierre Dac, les calembours d'un Alexandre Breffort, et même de nos jours la logique de l'absurde d'un Raymond Devos trouvent leurs sources dans l'œuvre d'Allais.

Un étudiant allemand a d'ailleurs soutenu une thèse (3), il y a une quinzaine d'années, sur ce sujet, tendant à prouver que l'esprit de San Antonio avait été inspiré à Frédéric Dard par la lecture des contes d'Alphonse Allais.

Nous lui laissons la responsabilité de cette affirmation.

Disons que le plus bel hommage rendu à Alphonse Allais fut celui de Jules Renard dans son célèbre journal : « Comme Dieu, il créait à chaque instant. De rien ». Ainsi s'achève l'avant-propos de cet ouvrage, me direz-vous : point final.

Eh bien, non !

Ce serait, en effet, faire injure à sa mémoire que de passer sous silence son ultime farce—macabre, certes, comme si au-delà de sa mort, il avait voulu manifester son mécontentement d'avoir été inhumé dans un cimetière de la banlieue parisienne, dans une terre étrangère, loin de sa chère Côte-de-Grâce.

Pour ceux qui doutent de la prémonition, je crois que là, il en a donné la preuve éclatante, si j'ose m'exprimer ainsi ...

Rejoignant en cela son illustre prédécesseur en humour, Cyrano de Bergerac, qui, par des feux de salpêtre, voulait s'élever vers les espaces éthérés où les astres vont paître, lui, le passionné de pétards et d'explosifs, dans un conte intitulé « Post-Mortem », préconise de transformer les cadavres ... en pièces pyrotechniques !

(2) Eh oui ! Sacha Guitry a débuté à quinze ans au journal « Le Sourire », sous les ordres d'Alphonse Allais, non pas comme chroniqueur ... mais comme caricaturiste ! Un portrait-charge d'Alphonse Allais par Sacha Guitry est d'ailleurs précieusement conservé au Musée du Vieux-Honfleur.

(3) Rudolf Zimmer, « Studien zur Sprache der humoristen Alphonse Allais — 1854-1905 » (Niemeyer, 1972).

Il ne croyait pas si bien écrire.

En avril 1944, lors du bombardement aérien de La Chapelle, une bombe anglaise égarée est venue frapper de plein fouet sa sépulture. Boum !

Plus de tombeau ! Plus de dalle funéraire ! Plus d'Alphonse Allais ! Plus rien !

Il ne reste que l'emplacement ..., comme dirait le gardien du cimetière. Disparu dans une nuée comme un héros de l'antiquité, quelle belle fin pour cet artificier du ciel !

Et l'on se plaît à imaginer ce qu'aurait pu être son ultime conte, le bouquet final de son œuvre où, trempant pour la dernière fois sa plume dans l'encrier de l'humour noir, les Salis, Goudeau, Capus, Ponchon, Cros, Coquelin, Caperon, Satie et autres Bruant seraient partis en fusées illuminer les nuits montmartroises, ces nuits de la Butte d'avant l'électricité, éclairées à la lune, pour que leurs cendres incandescentes scintillent à tout jamais dans le firmament de Paris. Quelle constellation !

C'est pourquoi l'Académie Alphonse-Allais a décidé de perpétuer le souvenir de notre Maître à tous en décernant chaque année, au cours du Festival d'Été de Honfleur, aux meilleurs de ceux qui ont œuvré pour la pérennité de l'HUMOUR :

LE GRAND CORDON DE LA COMETE DE ALLAIS.

Robert CHOUARD
Président de l'A.A.A.

LA VACHE ALLAIS

I

Sur un procès en cours
Devant la Haute Cour
Alphonse Allais possède
D'intéressants secrets
Qui, dit-on, changeraient
La face du procès s'il cède
Aux prières de le dévoiler.
Malheureusement, il se fait une loi
De ne les découvrir à qui que ce soit.

Moralité :

Dur Allais, cède-les !

II

En apprenant qu'Alphonse Allais
Sur le complot possédait
D'intéressants secrets
    (Qui l'eût dit !)
    Il paraît
Qu'il n'y eut qu'un cri
    Au Sénat
Que, depuis, répètent en chœur
    Les Sénateurs :
Allais, lui, ah !... Allais, lui, ah !...

22-11-99.

13

Pensées internes
et externes

« J'ai plusieurs fois été plagié dans ma vie, j'ai toujours pardonné. N'est-ce pas une satisfaction pour mon amour-propre d'ancien potard (mieux potard que jamais) que de voir les pauvres d'esprit glaner quelques épis véreux dans notre moisson. A tous j'ai dit : vous plagiez l'apothicaire, fourneaux que vous êtes, vous me copiez, moi Allais, que Dieu vous bénisse et par le Prophète, qu'Allais vous protège !... »

A.-A.

Dieu a sagement agi en plaçant la naissance avant la mort, sans cela, que saurait-on de la vie ?

***

Combien peu de gens, aujourd'hui, consentiraient à habiter la maison de verre du juste ? Et encore serait-elle en verre dépoli ?

***

Quoi de plus inhumain qu'un sacrifice humain ?

***

La misère a cela de bon, qu'elle supprime la crainte des voleurs.

***

J'ai connu bien des filles de joie qui avaient pour père un homme de peine.

***

On a dit que le génie était une longue patience. Et le mariage donc ?

***

Le rire est à l'homme ce que la bière est à la pression.

***

On devait ouvrir des écoles pour professeurs inadaptés !

***

Le café est un breuvage qui fait dormir quand on n'en prend pas.

***

Dans la vie, il ne faut compter que sur soi-même, et encore pas beaucoup.

***

Dieu n'a pas fait d'aliments bleus. Il a voulu réserver l'azur pour le firmament et les yeux de certaines femmes.

***

Faire la charité, c'est bien. La faire faire par les autres, c'est mieux. On oblige ainsi son prochain, sans se gêner soi-même.

***

Le tic-tac des horloges, on dirait des souris qui grignotent le temps.

***

Une chose facile à avoir en décembre, c'est du sang-froid.

***

Quand on ne travaillera plus le lendemain des jours de repos, la fatigue sera vaincue.

***

Il ne faut jamais faire de projets, surtout en ce qui concerne l'avenir.

***

Il est toujours avantageux de porter un titre nobiliaire. Être de *quelque chose*, ça pose un homme, comme être *de garenne*, ça pose un lapin.

***

Les gens mariés vieillissent plus vite que les célibataires. C'est l'histoire de la goutte d'eau qui, tombant sans relâche à la même place, finit par creuser le granit.

***

La statistique a démontré que la mortalité dans l'armée augmente sensiblement en temps de guerre.

***

Les gendarmes ont grand tort de malmener les criminels. Sans eux, ils n'existeraient pas.

***

Pendant l'hiver, les pauvres gens ramassent du bois mort dans la campagne.

Le bois mort, c'est le coke du village.

***

Dieu a mis le remède à côté du mal. C'est ainsi des boutiques de pharmacien au rez-de-chaussée des maisons mal famées.

***

Plus les galets ont roulé, plus ils sont polis. Pour les cochers, c'est le contraire.

***

Dans les milieux littéraires, quand on parle des poètes morts jeunes, ce sont les morts vieux qui se mouchent.

***

Sarah Bernhardt fait couler les petits ruisseaux de larmes qui produisent les grandes rivières de diamants.

Dumaphis
Le Chat noir
12 janvier 1898

Les émaux auxquels personne ne tient, ce sont les émaux... rhoïdes.

***

On s'occupe beaucoup en ce moment de l'attitude des grandes puissances dans la question d'Orient. Pourquoi ne parle-t-on pas aussi de la longitude des mêmes puissances ?

***

Les pommes de terre cuites sont plus faciles à digérer que les pommes en terre cuite.

***

On mange les dindes aux truffes, et les oies aux marrons. Les fourrures se mangent aux vers, et les loups ne se mangent pas... entre eux.

***

On prétend que les Turcs sont très malpropres. Alors pourquoi dit-on d'eux : les ennemis des populations s'lavent ?

Le Tintamarre
14 janvier 1877

Une réflexion de mon palefrenier :
Je panse, donc j'essuie.

***

Entendu de mes propres yeux :
— C'est étonnant comme les frères Lyonnet se ressemblent.
— Oui, surtout Anatole.

***

Logique féminine.
C'est quand on serre une dame de trop près... qu'elle trouve qu'on va trop loin.

***

Les pickpockets les moins inoccupés sont précisément ceux qui ont toujours les mains dans les poches.

***

En exigeant une réparation, on n'arrive souvent qu'à se faire démolir.

Le Tintamarre
24 août 1879

Le zèbre. J'ignore pourquoi on l'appelle ainsi : à cause de sa vélocité, ou à cause des zébrures de son pelage ?

***

Le caoutchouc serait un matériau très précieux, n'était son élasticité qui le rend impropre à de nombreux usages.

***

On aura beau dire et beau faire, plus on ira, moins il y aura de centenaires qui auront connu Napoléon 1er.

***

Même les voleurs de grand chemin ont disparu : les uns, habitués au plein air, exercent la profession de pickpocket sur les champs de courses ; les autres se sont adonnés à la haute banque.

***

La mer est salée parce qu'il y a des morues dedans. Et si elle ne déborde pas, c'est parce que la Providence, dans sa sagesse, y a placé aussi des éponges.

***

Je ne comprends pas les Anglais ! Tandıs qu'en France nous donnons à nos rues des noms de victoires : Wagram, Austerlitz... là-bas, on leur colle des noms de défaites : Trafalgar Square, Waterloo Place...

***

Si le nez de Cléopâtre avait été plus long, sa face en aurait été changée.

***

Shakespeare n'a jamais existé. Toutes ses pièces ont été écrites par un inconnu qui portait le même nom que lui.

***

« Chexpire »... Quel vilain nom ! On croirait entendre mourir un Auvergnat.

***

L'homme est imparfait, mais ce n'est pas étonnant si l'on songe à l'époque où il fut créé.

***

Pour vivre heureux, il faut coucher sur la paille que l'on voit dans l'œil de son voisin, et se chauffer avec la poutre qu'on a dans le sien.

***

A qui doit mourir du choléra, Dieu dépêche le microbe du choléra, de même qu'il décerne le microbe du coup de pied dans le cul à celui qui doit recevoir un coup de pied dans le cul.

***

23

La morale est la faiblesse de la cervelle.

**

En dormant à moitié, il avait beaucoup retenu.

**

Il était normand par sa mère et breton par un ami de son père.

**

Impossible de vous dire mon âge.
Il change tout le temps !

**

Ne remets pas à demain ce que tu peux faire après-demain.

**

Les horizontales se rencontrent dans tous les milieux, les parallèles jamais.

**

Il vaut mieux être cocu que veuf.
Il y a moins de formalités.

**

Ce qui frappe le plus l'odorat du voyageur quand il arrive à Venise, c'est l'absence totale de parfum de crottin de cheval.

**

On n'insistera jamais assez sur les inconvénients que présente l'abus du cyanure de potassium dans l'alimentation des nouveau-nés.

***

Les familles, l'été venu, se dirigent vers la mer en y emmenant leurs enfants. Dans l'espoir, souvent déçu, de noyer les plus laids.

***

Favorisée par une forte brise sud-ouest, la mer clapotante effleurait les quais du Havre et s'engouffrait dans les égouts de ladite ville, se mélangeant avec les eaux ménagères, qu'elle rejetait dans les caves des habitants. Les médecins se frottaient les mains :
« Bon, cela ! se disaient-ils, à nous les petites typhoïdes ! »

***

Les tiroirs de la commode, la porte de l'armoire, tout était ouvert, même la gorge de la locataire, une fille galante du nom de Louise Lamier.
La police flaira tout de suite un crime.

***

« Ça coûtera cher, évidemment, mais ce sera une dépense faite une fois pour toutes ! » comme disait le monsieur en réglant avec l'ordonnateur des pompes funèbres les obsèques de sa belle-mère.

***

L'application de la fécondité artificielle panachée à l'art vétérinaire est d'une importance qui n'échappera à personne. Le produit incestueux de la carpe et du lapin cessera donc enfin d'être un mythe.

***

Quand l'employé « ad hoc » demanda à la veuve quel genre de crémation elle désirait pour le défunt (du four français ou du four milanais), la pauvre femme s'écria vivement : « Oh ! Monsieur, le four français ! Mon mari ne pouvait pas sentir la cuisine italienne. »

***

Bien que nos renseignements soient faux, nous ne les garantissons pas.

***

— Qui est donc ce monsieur si maigre ?
— C'est un lutteur.
— Un lutteur ? Vous êtes sûr ?
— Oui, il lutte contre la tuberculose.

***

La mode est à l'hygiène, les microbes en mènent de moins en moins large.
Et la Société protectrice des animaux qui ne bouge pas !

***

Si j'ai un jour du plomb dans la tête, ce sera du 7,65.

***

Rien de contagieux comme l'exemple ! (J'ai stipulé dans mon testament une récompense de 100 000 francs au savant qui découvrira le microbe de l'exemple).

***

Il est mort hier d'une subtilité aiguë. « C'est un cas très rare, m'a dit le médecin, mais dangereux tout de même. »

***

Les asiles d'aliénés comportent dans leur personnel des internes et des internés. J'ai beaucoup fréquenté ces deux classes de gens, et la vérité me contraint à déclarer qu'entre ceux-ci et ceux-là, ne se dresse que l'épaisseur d'un accent aigu.

***

On a coutume de dire que le dix-neuvième siècle aura été le siècle de la vapeur, et je ne lui en fais pas mon compliment.

***

Les Anglaises adorent les chevaux, mais ignorent le bidet.

***

(*à un enfant turbulent*)
Il y a des jours où l'absence d'ogre se fait cruellement sentir.

***

Le métier d'officier consiste surtout à punir ceux qui sont au-dessous de soi et à être puni par ceux qui sont au-dessus.

***

Il faut demander plus à l'impôt et moins au contribuable.

***

Tout est dans tout et vice-versa.

***

L'Angleterre est une ancienne colonie normande qui a mal tourné.

***

L'homme ne tue pas seulement pour manger, il boit aussi.

***

C'est parce que la Fortune vient en dormant qu'elle arrive si lentement.

***

Un impôt qui doit rentrer facilement, c'est celui sur les portes et fenêtres.

***

On parle toujours de la paille humide du cachot du pape. Il me semble que Pie IX, au moyen du denier de Saint-Pierre, a reçu assez de braise pour la faire sécher.

***

C'est probablement parce que les ardoises viennent d'Angers que le métier de couvreur est dangereux.

***

Il est plus adroit de se tirer d'un mauvais pas qu'un coup de revolver au cœur.

***

On offre bien plus facilement son bras à une demoiselle que sa main.

***

Un proverbe dit : « Tel père, tel fils. » Un autre : « A père avare, enfant prodigue. » Lequel croire ?

24 octobre 1875

Un paresseux est un homme qui ne fait pas semblant de travailler.

***

Les ours sont blancs parce que ce sont de vieux ours. Tous les ours blancs sont de vieux ours, comme les hommes aux cheveux blancs sont de vieux hommes... Tous les ours du monde viennent vieillir et mourir doucement dans les régions arctiques. De sorte qu'on aurait le droit d'appeler ce pays : l'« Arctique de la mort »...

***

Dire d'une personne qu'elle a un cœur d'or, ce n'est pas dire qu'elle a le cœur tendre, l'or étant un métal fort dur.

***

On sait que les cheveux, considérés au microscope, sont creux, ce qui explique l'expression : tuyau de poil.

***

C'est le fonds qui manque le moins, mais ce sont les fonds qui manquent le plus (cette réflexion est d'une réalité poignante).

31 octobre 1875

Je souhaite qu'une loi intervienne, aux termes de laquelle tout haut dignitaire de la Légion d'honneur ne pourrait plus jamais être cocu.

***

Prochainement : ouverture de l'« Estaminet du Flagrant Délit », ou « Taverne du Placard ». Bock à 30 centimes. Le service est exclusivement assuré par des Dames adultères en costume de l'époque.

***

M. Buissonnière, ancien directeur de l'École qui portait son nom, serait actuellement chef de la Bande des voleurs d'escaliers.

Une association très active : comme chacun sait, les escaliers dérobés ne se comptent plus dans la capitale.

***

Comment trouves-tu que je te trouve ?

***

Vieille coutume que j'ai contractée de passer toutes mes soirées du dimanche au Quartier Latin. J'arbore une mine lugubre dans les brasseries à femmes, et quand les gens me demandent *ce que j'ai*, je réponds sur un mode triste : « C'est ma jeunesse qu'on enterre. »

***

La vie est un pont, morne pont qui réunit deux néants, celui d'avant, celui d'après. Or, que faire sur un pont, à moins que l'on n'y danse tous en rond, ainsi que cela se pratique notoirement sur le pont d'Avignon ?

***

Élevé à la rude école du malheur, il y remportait tous les prix.

***

Tout d'abord, le jeune Saphyr versa dans les philosophies tristes, qui lui apprirent à mépriser la gaieté comme basse et peu artiste (c'est ainsi que les culs-de-jatte mettent l'équitation au dernier rang des arts).

***

La vaillante petite cité de Baizemoy-sur-Loreille donna naissance, par un radieux 30 juillet 1798, à l'amiral baron Machin, le même qui s'illustra plus tard au bombardement d'Alger.

(A vrai dire, l'amiral baron Machin n'était, le jour où il naquit, ni amiral, ni baron ; ce n'est que plus tard qu'il conquit ces honneurs. Avec du travail et de la conduite, jeunes gens, on arrive à tout.)

***

Il y a, au régiment :
1° Moi.
2° Les autres.
De moi, je ne dirai rien.
Vous savez la nature d'élite que je suis.
Très capable et très comme il faut.

31

De l'intelligence, de la conduite, et 34 000 francs de rente, ce qui ne gâte rien. Les autres, c'est plus mêlé.

***

J'ai toujours eu l'amour des terrasses de café, et la conception la plus flatteuse du paradis serait, pour moi, une terrasse de café, d'où l'on ne partirait plus jamais.

***

Les vers de 23 pieds, ça vous paraît tout drôle la première fois, et puis on s'y fait. C'est une affaire d'entraînement.

***

Une pâleur livide venait d'envahir ses traits.
— Quoi ?... Qu'avez-vous, mon pauvre ami ?
— Oh ! rien. Tous les soirs, à ce moment, je suis pris d'une angoisse terrible.
— A propos de quoi ?
— C'est l'heure où la nuit tombe, et j'ai toujours si peur qu'elle ne se casse quelque chose !... Pauvre nuit !

***

A Liège, on m'a cité un bien joli mot d'une petite actrice parisienne fraîchement débarquée :
— C'est épatant comme les gens de Liège ont peu l'accent alsacien !
— Pourquoi veux-tu que les gens de Liège aient l'accent alsacien ?
— Dame ! Quand on est si près de la frontière allemande ! Brave enfant !

***

A partir de l'année prochaine, on ne réformera plus personne. On prendra les borgnes, les boiteux, les aveugles, etc., et on leur fera faire leur service dans les Invalides.

Et allez donc !

***

Les culs-de-jatte sont des infirmes incapables de rendre service à la société. Sauf, peut-être, pendant les guerres, aux premières lignes. Les tranchées seraient alors moitié moins profondes à creuser.

Je laisse à Monsieur le ministre des Armées le soin d'envisager tous les avantages qui découleraient de cette utilisation inattendue.

***

Il était à ce point préoccupé de l'harmonie des tons, que certaines couleurs mal arrangées dans les toilettes de provinciales ou dans les toiles de membres de l'Institut le faisaient grincer douloureusement, comme un musicien en proie à de faux accords. A ce point que, pour rien au monde, il ne buvait de vin rouge en mangeant des œufs sur le plat, parce que ça lui aurait fait un sale ton dans l'estomac.

***

Ce n'est pas tout à fait rigoureusement exact que la musique adoucisse les mœurs. Je crois même que l'harmonie, un peu en excès, amène l'homme le mieux constitué à un état d'hébétude et de gâtisme tout à fait folâtre.

***

Les aïeux ont frémi dans leur tombe, mais on les a laissés frémir. Quand ils seront las de frémir, ils ne frémiront plus.

***

Le perroquet est un oiseau souvent vert, dont les propos deviennent à la longue fastidieux, autant par le peu de variété que par un manque absolu d'utilité sociale.

Depuis, surtout, l'invention du phonographe et notamment du gramophone Pathé, le perroquet est devenu un volatile dont le besoin ne se fait plus aucunement sentir.

**

Aimez-vous les inventeurs ? Moi, j'en raffole, alors même qu'ils n'inventent rien, ce qui est le cas de presque tous les inventeurs.

**

Un japonisant bien connu, doublé d'un moraliste profond — je vois son nom sur toutes les lèvres — M. Henry Somm, avait coutume de dire aux jeunes gens : « Méfiez-vous de l'assassinat ; il conduit au vol et, de là, à la dissimulation. »

**

Ce que je pense de la propriété littéraire, Monsieur, dépasse les bornes de l'imagination la plus viciée, seule l'âme d'Oscar Wilde se complairait en ces noirceurs. Quant à la propriété artistique, je vous avouerai que je m'en bats les flancs.

**

Faut du Baudelaire, c'est entendu, mais pas trop n'en faut.

**

Dire qu'il était nègre serait demeurer au-dessous de la vérité. On l'aurait reconnu dans des ténèbres à couper au couteau : il était plus noir que la plus épaisse des nuits.

**

Je décochai au jeune homme pâle et triste un formidable coup de poing, qu'il para, fort habilement d'ailleurs, avec son œil gauche.

***

— Ne pourrais-tu pas me préparer le café aussi chaud que chez mes tantes ? A la maison, il est à peine tiède.

— Je ne sais comment cela se fait... je l'achète pourtant chez le même épicier qu'elles.

***

Je ne sais pas si vous êtes comme moi, mais j'adore l'Angleterre.

Je lâcherais tout, même la proie, pour Londres.

***

Ah !... Monsieur Mallarmé, je vous tiens pour le plus grand poète actuellement vivant, mais pour aussi le plus désastreux chef d'école qui ne soit pas encore mort !

***

La première fois que je suis allé en Angleterre, je débarquais dans un petit port de mer qui s'appelait Littlehampton. Depuis, je n'ai plus jamais entendu parler de cette cité maritime. Qu'a-t-elle bien pu devenir ?

***

Un divertissement fait fureur dans les milieux *chic*.

C'est la blague vieille comme les rues qui consiste à amener une personne à dire :

35

Qui ? pour lui répondre : *Mon c...*

Châtiment de la curiosité.

Je connais une jeune femme, charmante, du reste, qui, pour *avoir* un de ses amis réputé impinçable à ces sports, revêtit des vêtements de deuil, se fit un masque de gros et récent chagrin.

— Tiens, vous êtes en deuil ? fait l'impinçable.

— Hélas !

— De qui donc ?

— De mon c...

Ce jour-là, l'impinçable fut pincé.

***

N'est-ce point inconcevable que l'homme, si habile à faire des animaux ses utiles auxiliaires, n'ait jamais songé à utiliser, autrement que pour ses parapluies, cet énorme et vigoureux cétacé qui a nom baleine ?

***

Il n'est point excessif de prétendre que, si le homard est le cardinal des mers, la baleine en est l'éléphant.

***

Détail peu connu des entomologistes : l'éléphant, maintenu dans une tabatière, possède la propriété de communiquer au tabac à priser un parfum extrêmement délicat, fort recherché des amateurs.

***

Soyez chacal, ou soyez loup,
Les juges sont plus forts que vous.
Écoutez-moi (la chose est sûre),
Méfiez-vous d'la magistrature.

Les combles

Celui de la politesse :
S'asseoir sur son derrière, et lui demander pardon.

***

Celui de l'erreur géographique :
Croire que les suicidés sont les habitants de la Suisse.

***

Celui de l'habileté :
Arriver à lire l'heure sur un cadran de baromètre.

***

Celui de la ressemblance :
Pouvoir se faire la barbe devant son portrait.

***

Celui de la pose :
Ne pas sortir de chez soi, sonner sur son piano toutes les heures et toutes les demies pour faire croire aux voisins qu'on a une pendule.

***

Celui de l'inattention :
Se perdre dans une foule et aller au commissariat de police donner son signalement.

Le Tintamarre
13 juillet 1879

***

Celui de la bonté d'âme :
Refuser qu'on frappe les carafes, qu'on pende la crémaillère ou qu'on crève le riz...

***

Celui de l'optimisme :
Entrer dans un grand restaurant et compter sur la perle qu'on trouvera dans une huître pour payer la note.

***

Celui de la prudence :
Marcher sur les mains, de peur de recevoir des tuiles sur la tête.

***

Celui du cynisme :
Assassiner nuitamment un boutiquier, et coller sur la devanture : fermé pour cause de décès !

***

Celui du toupet :
D'un vigoureux coup de poing, enfoncer le chapeau d'un monsieur, et lui demander froidement si c'est une affaire qu'il cherche !

Le Tintamarre
28 octobre 1877

COMME DISAIT...

Oh, l'éternel féminin... comme disait le monsieur dont la belle-mère n'en finissait pas de claquer.

Tout est rompu, mon gendre, comme disait le vieux gentleman dont la fille venait de se jeter du cinquième étage sur le pavé de la cour, sous les yeux de son fiancé.

Rien n'est impossible à l'homme, comme disait le garçon boucher qui jetait sa maîtresse par la fenêtre de leur petit logement du cinquième étage.

Vous êtes mille fois trop bon, comme disait la chauve-souris à un vieux gentleman qui voulait absolument lui offrir une perruque.

Je préfère de beaucoup la sculpture à la peinture, comme disait le pauvre monsieur qui venait de s'asseoir avec son beau pantalon nankin sur un banc de jardin fraîchement badigeonné.

La petite épargne devient bien méfiante, comme disait Maurice Montaigut, le jour où sa bonne refusa de lui prêter cent sous. (Historique.)

Vous seriez bien gentil de repasser dans l'après-midi, comme disait le condamné à mort auquel le directeur de la prison venait annoncer que l'heure était venue.

Ça n'est pas fait pour la jeunesse, comme disait l'homme pudibond en décrochant les tableaux un peu décolletés de son appartement pendant qu'on accouchait sa jeune femme.

Quand on est Maure, c'est pour longtemps, comme disait le jeune Arabe qui, après avoir reçu une excellente éducation au lycée d'Alger, s'en allait rejoindre ses frères du désert, dans le Sud-Oranais.

Pensées
Express

Sur le registre du phare de Fatouville :
« Comme il est des femmes gentilles,
Il est des calembours amers.
Le fard enlumine les filles.
Le phare illumine les mers ! »

A.A.

Les Pensées Express sont, en réalité, de courtes fables à la morale en forme de calembour.

AYANT PRIS LE MATIN

Ayant pris le matin une purgation forte
Le jeune Alphonse à chaque instant courait,
Se levait, s'asseyait, ouvrait, fermait des portes.

Alphonse allait.

✱✱✱

DEUX AMANTS

Deux amants, chauds lapins, dans la force du terme
Un beau matin se querellaient
Et l'un sur l'autre tapaient ferme...
Qui souvent se baisent bien se cognaient.

✱✱✱

43

AVEC SA JEUNE ÉPOUSE

(Sérénade napolitaine)

Avec sa jeune épouse, au soir du mariage,
Nicolas sut monter des quantités d'étages.
Dans le sport amoureux, superbe il se montra,
Unique au lit fut Nicolas (bis).

***

TROP PARLER NUIT

Il répétait souvent : « La reine est un chameau
Funeste ». On l'envoya ramer sur la galère
Du roi. Jusqu'à sa mort, il ne dit plus un mot.
L'embarquement pour s'y taire.

***

INDIGNATION BIEN LÉGITIME
CONTRE UNE LÉGENDE
SOTTEMENT ACCRÉDITÉE
ET DEPUIS LONGTEMPS

Le fils d'un eunuque eut mille enfants, cré tonnerre !
Non, la stérilité n'est pas héréditaire.

***

PAR(TUR)ITION

Madame, dont la taille augmente chaque jour
    Et dont toute la joie
Est de coudre et tailler pour le futur amour
    Que le ciel lui envoie
Dans le madapolan, le coton ou la soie,
    Couches, langes, layettes
    Et tabliers avec bavettes,

Madame, dans sa glace, un jour, se regardant
Se mit à rire effrontément.

Moralité :
La mère rit de son arrondissement.

***

LES GARDIENS DU PHARE D'ARMEN

Nous n'avons pas ici de docteur médecin.
Nous mangeons des poissons pêchés au Raz-de-Sein
Car, à quoi bon ? Le temps est doux et l'air est sain.
Voilà, docteurs, nos mets de Sein !

***

LE PARTI JEUNE TURC A PARIS

Un jeune Ottoman couche avec l'horizontale
Qui répond au doux nom de Théodora Burq
Mais, sans laisser d'argent, dès le matin détale.
Prenez garde à lapin turc.

***

ÉTANT GROSSE

Étant grosse de deux jumeaux,
Une femme accoucha d'une superbe fille,
Mais oublia (c'est bien triste pour la famille)
De mettre au monde le marmot.
De telle sorte
Qu'elle en est morte.
Ça lui apprendra ! C'est bien fait.

Axiome :
N'oubliez pas le garçon, s'il vous plaît.

45

EN « SUEZ » UNE...

La brune Shemulpa, fille du vieux Peau-Rouge,
Apprenait à danser avec sa maman.
Or, sa maman lui dit : « Eh là, ma pauvre enfant,
Tu sautes bien trop fort !
C'est le ventre qui bouge
Non tout le corps
Danse avec moi et fais le pas très sagement. »

Moralité :
Le Pas sage de la Mère Rouge.

***

CÔTÉ COUR

Après avoir rêvé d'éclipser Malibran,
D'entrer à l'Opéra, d'y être la meilleure,
Stalla chante à présent à l'Alcazar de Rouen,
Scène inférieure.

***

COMME UNE LAMPE

Comme une lampe dont on coupe la mèche
Abélard, quand il expira,
Dit, n'sachant plus d'quel bois faire flèche :
« J'avais pourtant quelque chose là ».

***

SURPRISE TOUJOURS DÉSAGRÉABLE

« Elle a, se disait Jean, le teint frais, l'aspect sain.
Et puis, elle est pour moi si câline et si bonne ! »
Oui, mais, huit jours après, Jean court au médecin.
La façon de donner vaut mieux que ce qu'on donne.

PROCÉDÉ RADICAL
POUR SE CRÉER UN INTÉRIEUR TRANQUILLE

Un homme qu'embêtait sa grincheuse moitié,
Jeta par la fenêtre, avec des cris de haine,
Vaisselle, belle-mère, épouse et mobilier.
N'en jetez plus, la cour est pleine.

***

ODE A SYLVIE CRINNE

Après une bordée, un matelot joyeux
Expia dans les fers ce moment de folie.
Le pauvre Mathurin y perdit ses cheveux.

Moralité :
La cale vicie.

***

CI-GIT ZOLA

Ci-gît Zola qui ne fut rien
Pas même cacadémicien.

***

FÉCONDITÉ

Le Confrère Colin est un auteur fécond.
Chaque jour, il abat chronique sur chronique,
Reportage, échos, faits divers et critique,
Il tient de tout dans son abondante boutique.

Moralité :
Colin tant pond.

***

POSTES ET TÉLÉGRAPHE

Dans mon bureau de poste, ils sont toujours dispos.
Commises et commis ne se font pas de bile,
Et l'on dit doucement quand les guichets sont clos :
    La télégraphie sans fil.

***

Ô DÉBINE ! Ô GÊNE ! Ô MÉLASSE

Ô débine ! Ô gêne ! Ô mélasse !
Fallait-il que je me mêlasse
A cette obscure populace
Qui sans chalumeau et sans glace
Ingurgite l'onde fadasse
Qui coule de cette Wallace !

Hélasse !

***

IMPRÉVOYANCE

De cet or qu'il gagna à de fortes cotes
Tout lui fut dévoré par d'aimables cocottes.

Moralité :
Déposons prudemment le gain de nos paris
Au Comptoir National d'Escompte de Paris.

***

LE CHÂTIMENT DE LA CUISSON
APPLIQUÉ AUX IMPOSTEURS

Chaque fois que les gens découvrent son mensonge,
Le châtiment lui vient par la colère accru.
« Je suis cuit, je suis cuit », gémit-il, comme en songe.
    Le menteur n'est jamais cru.

48

LE MARIAGE D'UNE JEUNE NIAISE

Bête à ne savoir pas dire la moindre phrase,
Cette dinde épouse Gontran de Saint-Omer
Qu'elle voyait depuis vingt ans aux bains de mer.
Tant va la cruche à l'eau qu'enfin elle se case.

***

PROMPTE RÉPARATION D'UNE ERREUR

Devenu mari d'une exécrable rosse,
Il la tua dès le réveil
Au lendemain de son absurde noce.
La nuit porte conseil.

***

SI RUSSE

Lorsque tu vois un chat de sa patte légère
Laver son nez rosé, lisser son poil si fin,
Bien fraternellement embrasse ce félin.

Moralité :
S'il se nettoie, c'est donc ton frère.

***

LA REGRETTABLE FLOTTAISON

A Trouville, en voyant nager sa belle-mère,
Que de vœux il formait, le lamentable Arthur,
Pour qu'elle s'abîmât au fond de l'onde amère.
Fluctuat nec mergitur.

***

49

NE VOUS MÊLEZ JAMAIS
DES AFFAIRES DES AUTRES

Il voulait se noyer. De nageurs une harde
Le retira de l'eau, mais cela sans profit
Car, comble de malheur, bientôt il se pendit.
A tout r'pêché, misère et corde.

***

LE GALANT PRESSÉ

Avant de demander sa main
Il la baisa... près de l'oreille.
Ne remets pas au lendemain
Ce que tu peux faire la veille.

***

LE CADEAU

Sur elle n'ayant pas d'argent, l'accorte blonde
Offrit à son amant un joli... coryza.
La plus belle fille du monde
Ne peut donner que ce qu'elle a.

***

NE JUGEZ PAS LES GENS SUR LA MINE

Par un certain Dumont, géant d'aspect robuste,
Aglaé remplaça son gentil Cyprien.
Hélas, quel désespoir ! Au pieu (châtiment juste)
Le fort Dumont valait rien.

***

DUMANET

Dumanet présenta, homme plein d'innocence,
Sa bonne amie au fusilier Pitou
Qui, tout joyeux, la lui souffla du coup.

Moralité :
Enchanté de faire votre connaissance.

***

HÉLÈNE

Trois mois avant sa noce, Hélène eut un moutard.

Moralité :
En arrivant trop tôt, on arrive ... bâtard.

***

TRAIN MANQUÉ

Dans Aire-sur-la-Lys, il advint une fois,
Qu'un voyageur manquât son train. C'est une affaire
Qui n'a rien d'extraordinaire.
Il s'était attardé : tant pis pour lui, ma foi !

Moralité :
Si tu ne vas pas à la gare d'Aire
La gare d'Aire n'ira pas à toi.

***

UN JEUNE ENFANT

Un jeune enfant, sur son pot, s'efforçait.

Moralité :
Le petit poussait.

***

LE VOYAGEUR ET L'ESCALIER

Sous l'escalier d'un tram, bien à l'abri,
Le cœur brûlant de mille flammes,
Un voyageur riait de voir monter les dames.

Moralité :
Plus on est dessous, plus on rit.

***

ORANGE ET TRANSVAAL

Orange et Transvaal, le cœur plein d'espérance,
Combattent vaillamment pour leur indépendance,
Étroitement unis contre l'envahisseur.
États-sœurs !

***

ÉCONOMIQUE ET CURIEUSE FAÇON
DE PAYER SES DETTES

Je ne te rendrai pas l'or que tu m'as prêté.
Mais pour toi je professe une estime suprême,
Cela revient au même.
Estime is money.

***

PORTRAIT PEU FLATTÉ DU TEMPS

Long comme un jour sans pain, sans huile et sans vinaigre,
Appuyé sur sa faux, vous l'avez reconnu.
Il ne doit pas peser bien lourd quand il est nu.
Le temps est un grand maigre.

***

ORAISON FUNÈBRE D'UNE BELLE-MÈRE ACARIÂTRE MAIS LABORIEUSE

Chez son gendre, elle fit toute la grosse ouvrage,
Le parquet, la lessive, et jusqu'au jardinage.
   Il lui sera très pardonné
   Parce qu'elle a beaucoup peiné.

***

UN AMANT MENACÉ

Un amant menacé de recevoir un pain
D'une femme à laquelle il posa maint lapin,
La voit de son balcon comme d'un belvédère
Qui dans la rue attend et devant sa porte erre !

Moralité :
La peau l'long du Belvédère.

***

CONSEIL A UN JEUNE ET VAILLANT TOURISTE

Tu vas au bout du monde ? Épargne ton cheval,
Et sois tendre à chacun, même au moindre animal.
Qui veut voyager loin ménage sa monture,
Et sa bonté s'étend sur toute la nature.

***

DE L'OURCQ

De l'Ourcq un beau matin un pêcheur retira
Un pli qu'à l'Élysée aussitôt il porta
Et qui, chose bizarre, fort extraordinaire,
Était un document relatif à l'affaire.

Moralité :
Loubet lit ce que de l'Ourcq sort.

A MARIANI

Lannes, le plus fameux général de son temps,
Était bâti pour vivre au moins cent cinquante ans.
Ah ! S'il avait connu ton vin de coca, Lannes
Serait-il encore vivant, soit dit sans coq à l'âne !

***

SOYEZ VILAIN

Soyez vilain ou soyez beau,
Pour la santé, c'est kif-kif bourricot.

***

UNE JEUNE FILLE

Une jeune fille était si plate,
Qu'on l'avait surnommée « la planche » !
Mais un jour, Dame nature prit sa revanche
Et la dota de deux beaux seins.

Moralité :
La planche a des seins.

***

LES MOTS CÉLÈBRES

Tamerlan, conquérant farouche,
Dans un combat fit vingt captifs.
Il les fit empaler tout vifs.
On n'dit pas si c'est par la bouche...
Malheur aux vaincus !

***

Ayant pour nourrice une chèvre
Grandissait le p'tit roi René
Quand, un jour, il faut qu'on le sèvre :
C'est l'nourrisson qui fit son nez !
    Il n'y a plus de pis, René !

***

Pour voir Paris, avec sa nièce,
Un villageois quitt'le pays,
Dans la foule il perd cett'jeunesse...
C'est égal ! Il a vu Paris !
    Paris vaut bien une nièce !

***

La Montespan, orgueil insigne,
Peinte en Léda, fit mettre au-d'ssous :
« Inclinez-vous ! Le roi, c'est l'cygne
« Auquel j'm'occupe à monter l'coup :
    « Léda, c'est moi ! »

(*Le Sourire*)

***

LA MARSEILLAISE DES INFIRMES

    Le Muet
Allons enfants de la patrie !
Le jour de gloire est arrivé.
    L'Aveugle
Contre nous de la tyrannie.
L'étendard sanglant est levé
    Le Sourd
Entendez-vous dans nos campagnes
Mugir ces féroces soldats ?
    Le Manchot
Ils viennent jusque dans nos bras

55

Égorger nos fils et nos compagnes
Aux armes, citoyens ! formez vos bataillons !
   Le Cul-de-Jatte
Marchons (bis), qu'un sang impur abreuve nos sillons !

22 février 1883

***

LE JEUNE HOMME SANS SOIN
ET, DE PLUS, IRRESPECTUEUX

Sans la moindre mitaine,
Il lit l'œuvre de Taine.

Son thon de l'aquarium
S'évade et file à Riom.

A son excellent père
Il parle avec colère.

Surveille mieux, fiston,
Ton thon, ton Taine et ton ton.

(Le Sourire)

***

CITATIONS HISTORIQUES

« Enchanté » (Merlin).
« Les Montagnards sont las » (Robespierre).
« On est prié de ne pas claquer l'apôtre » (Saint Pierre).

Pensées amoureuses

Sait-on jamais pourquoi on aime les gens ? Non. Eh bien !
Pour les objets, c'est la même chose.

***

C'est gentil, les parties carrées, mais (blaguez-moi si vous voulez) je suis une nature plutôt intime, qui préfère à tout autre
plaisir la solitude à deux.

***

Si jamais je deviens riche, ce qui ne peut beaucoup tarder,
étant donné l'immense fortune de ma nouvelle maîtresse, je ferai
l'acquisition d'un parc, d'un grand parc, avec des arbres centenaires (s'il n'y en a pas, j'en planterai).

***

Je lui fermai la bouche d'un baiser derrière l'oreille.

***

C'est une femme de tout repos. Parée de toutes les grâces du

59

corps, on dirait que la nature prévoyante ne lui a refusé les dons de l'esprit que pour qu'elle soit plus absolument belle.

***

Il faut vous dire qu'à la suite d'une chute de cheval, j'ai perdu tout sens moral.

***

Mon Dieu ! qu'elle était jolie, la première fois que je la rencontrai dans je ne sais plus quelle rue des Batignolles !

Oh ! ses grands yeux d'un noir si profond !

Oh ! la copieuse torsade de sa chevelure d'un noir également si profond !

Oh ! sa toilette toute noire de grand, grand deuil !

Une supposition que cette jeune fille eût été négresse : alors elle eût été toute noire, toute noire.

***

Il y a des femmes qui sont comme le bâton enduit de confiture de roses dont parle le poète persan : on ne sait par quel bout les prendre.

(Les personnes qui, après la publication de ce petit alinéa, continueraient à faire courir le bruit de ma mauvaise éducation... personne ne les croirait !)

***

L'homme propose (la femme accepte souvent) et Dieu dispose.

***

En principe, toute chute est force, sauf pourtant celles de jeunes filles qu'on baptise momentanément faiblesses en attendant qu'elles se transforment (souvent) en cascades.

***

Lune de miel.

— Dis-moi, ma chérie, à quel moment t'es-tu aperçue, pour la première fois, que tu m'aimais ?

— C'est quand je me suis sentie toute chagrine chaque fois qu'on te traitait d'idiot devant moi, répondit-elle en souriant.

***

Continuez, les amoureux, aimez-vous bien, et toi jeune homme, mets longtemps ta main dans celle de ta maîtresse, cela vaut mieux que de la lui mettre sur la figure, surtout brutalement.

***

Du blond, du blanc, du rose, seize ans, une buée !

***

Son teint pétri de lis et de roses m'alla droit au cœur.

(Je supplie mes lecteurs de ne pas prendre au pied de la lettre ce pétrissage de fleurs. Un jour de l'été dernier, pour me rendre compte, j'ai pétri dans ma cuvette des lis et des roses. C'est ignoble ! et si l'on rencontrait dans la rue une femme lotie de ce teint-là, on n'aurait pas assez de voitures d'ambulance urbaine pour l'envoyer à l'hôpital Saint-Louis.)

***

Un vrai philosophe, par exemple, c'est ce type que je rencontre l'autre jour sur le boulevard et qui m'aborde en ces termes :

— Bonjour, vieux. Tu sais, je me marie.

— Ah ! et... est-elle jolie ?

— Pas bien, bien jolie, mais il y en a de plus laides.

— Elle a de l'esprit ?

— De l'esprit ? Oh ! pas des masses, cependant j'en ai vu de beaucoup plus bêtes.

— Elle est honnête, au moins ?

— Mon Dieu, c'est pas qu'elle soit très, très honnête, mais elle est si bonne fille !

***

Plus tard, il épousa une charmante jeune fille condamnée à vingt ans pour avoir précipité dans les water-closets un enfant fraîchement né — avec cette circonstance atténuante qu'elle avait immédiatement remis le couvercle en place pour éviter un courant d'air au bébé.

***

Très tempéramenteuse, madame Flanchard avait depuis longtemps contracté l'habitude d'alléger les lourdes chaînes de l'hymen avec les bouées roses de l'adultère. (Je suppose, bien entendu, que la vie est un océan.)

***

Au plus fort de la débauche, quelqu'un de nous demanda :

— Mais enfin, ô Tirouard-Delatable (de Nuit), qu'est-ce qui t'a pris de nous offrir ce gala ?

— Ah ! oui, c'est vrai. J'ai oublié de vous dire... Ma femme est très malade en ce moment ; il paraît même qu'elle ne va pas passer la nuit... Alors l'idée m'est venue d'enterrer joyeusement ma vie de mari.

***

Il n'est point rare d'entendre, entre chères madames, ce dialogue :

— Qu'est que votre mari vous a donné pour vos étrennes ?

— Oh ! qu'il a été chic ! Il m'a fait enlever les ovaires.

***

Il s'agit de rectifier une erreur fort généralement répandue : il n'y a pas de vers-luisants femelles.

Toutes les lucioles que vous voyez scintiller dans l'herbe sont des mâles ; les femelles sont ailées et obscures.

Ce caprice de la nature se rencontre, d'ailleurs, dans beaucoup de couples humains où c'est le mâle qui éclaire.

***

Ils furent très heureux et eurent tant d'enfants, tant d'enfants, qu'ils renoncèrent bientôt à les compter.

***

Les bêtes ont-elles une âme ? Pourquoi n'en auraient-elles pas ? J'ai rencontré, dans la vie, une quantité considérable d'hommes, dont quelques femmes, bêtes comme des oies, et plusieurs animaux pas beaucoup plus idiots que bien des électeurs.

***

Le chien est lécheur : il lèche tout.
Il lèche la main qui lui donne un morceau de pain.
Il lèche la botte qui vient de lui défoncer trois côtes.
Il lèche bien d'autres choses, le cochon !
Et bien d'autres choses encore, le salaud !
Le chien a un instinct épatant, mais une âme de boue.

***

Ce qui prouve, une fois de plus, qu'on n'est jamais trahi que par les chiens.

***

Angéline (vous ai-je dit qu'elle se nommait Angéline ?) rappelait d'une façon frappante la *Vierge à la chaise* de Raphaël, moins la chaise, mais avec quelque chose de plus réservé dans la physionomie.

***

La solitude doit lui peser, pensai-je, comme elle pèse à toutes les femmes ! L'unique moyen qu'on ait jusqu'à présent trouvé, de faire cesser la solitude d'une femme, c'est de la partager avec elle.

***

— A quoi penses-tu ? fit-elle brusquement.
— Je suis en train de calculer la surface approximative de ton joli corps, et, divisant mentalement cette superficie par celle d'un baiser, je calcule combien de fois je pourrais l'embrasser sans t'embrasser à la même place.
— Et ça fait combien ?
— C'est effrayant... Tu ne le croirais pas.

***

Ses yeux, où des escadres de cœurs auraient évolué à leur aise !

***

Moi... Je suis un type dans le genre de Napoléon Ier... ma femme s'appelle Joséphine !

***

Moi... je suis un type dans le genre de Molière... je suis cocu.

***

...et mon avenir fut brisé.

Pardon, mon pauvre avenir ! Mais tu fus si souvent brisé que de toutes ces ruptures a dû résulter pour toi la souplesse infrangible et résignée.

Pauvre avenir, va toujours, tu n'as pas fini d'être brisé !

***

Et me revinrent en souvenance les vers de mon ami Paul Marot :
> « La trépidation excitante des trains
> Vous glisse des désirs dans la moelle des reins. »

***

COMPLAINTE AMOUREUSE

Oui, dès l'instant où je vous vis,
Beauté féroce, vous me plûtes ;
De l'amour qu'en vos yeux je pris,
Sur-le-champ, vous vous aperçûtes.
Mais de quel air froid vous reçûtes
Tous les soins que pour vous je pris !
Combien de soupirs je rendis ?
De quelle cruauté vous fûtes ?
Et quel profond dédain vous eûtes
Pour les vœux que je vous offris !
En vain, je priai, je gémis,
Dans votre dureté vous sûtes
Mépriser tout ce que je fis ;
Même un jour je vous écrivis
Un billet tendre que vous lûtes,
Et je ne sais comment vous pûtes,
De sang-froid, voir ce que je mis.
Ah ! fallait-il que je vous visse,
Fallait-il que vous me plussiez,
Qu'ingénument je vous le dise,
Qu'avec orgueil vous vous tussiez ;
Fallait-il que je vous aimasse,
Que vous ne désespérassiez
Et qu'en vain je m'opiniâtrasse
Et que je vous idolâtrasse
Pour que vous m'assassinassiez !

Pensées télégraphiques

Allais qui allait...

Jarry.

M. Paul E..., conseiller municipal à Paris : J'ai touché vos 30 fr. ; mais la loyauté la plus élémentaire me prescrit de vous aviser que je ne suis plus électeur dans le quartier Saint-Georges. M. B..., pour lequel, ici, je m'engage à voter, se fera un plaisir de vous rembourser cette petite somme.

***

M. Franc-Nohain à La Rochelle : Le cas que vous me signalez n'est pas si rare que vous semblez le croire. J'ai souvent remarqué, pour ma part, que les cocus épousaient de préférence les femmes adultères.

***

Mlle Rosa Larose : Très joli, votre poème, et beaucoup de souffle, mais que de rimes insuffisantes, telles, par exemple, ces deux-ci :
« Au très noble marquis Saint-Gustave (Omer de)
Quand il me rase trop, sans respect je dis : Zut ! »
Rectifiez ces quelques négligences, et je me charge de vous trouver un éditeur.

***

Mme la marquise de B... à Compiègne : Non, mille fois non ! Si vous sortez dans la rue en scaphandre, ne prenez pas de parapluie, vous vous feriez remarquer.

***

M. Alfred Capus à Blois : On ne dit pas « pousser des cris de porc frais » mais bien des « cris d'orfraie ». A part cette légère critique, votre travail est des plus intéressants.

***

Je viens de recevoir une lettre de Monseigneur l'Archevêque de Paris, lettre que j'ai tout lieu de croire apocryphe. Elle est en effet écrite sur du papier à en-tête de la « Taverne Pousset », endroit bien connu comme étant de ceux que fréquente rarement Son Éminence.

***

Mme la marquise de Ch... : Veuillez nous retourner cette dernière livraison d'acide prussique. Si notre produit a vraiment le goût de bouchon que vous nous signalez, on vous le remplacera.

***

Mme la marquise de V... à Blois : Vous ne vous êtes pas trompée, madame, le gentilhomme qui se trouvait là, c'était moi ; seulement je n'étais pas si saoul que vous voulez bien le dire.

***

Mlle Nina Pack, à l'Opéra-Comique : Vous êtes charmante, mademoiselle, mais vous tirez vos déductions anthropologiques un peu bien à la légère. Ce n'est nullement une raison, parce que ce monsieur est de taille moyenne, pour qu'il soit issu d'un nain et d'une géante

***

Mme Q. Hyer, à Pau : Je me suis rendu boulevard des Capucines au numéro que vous m'indiquez. Je n'y ai point rencontré le champ de colza en question. Peut-être vous serez-vous trompée d'adresse ?

***

M. Jules Renard, auteur d'*Histoires naturelles* : Comme vous, j'adore les chats, et je l'ai prouvé. Mais je ne partage pas votre avis sur la discrétion sentimentale de ces êtres exquis. Quand ils sont amoureux, ils le crient sur les toits.

***

L'Abbé Lothaireau, Paris : La souscription pour l'Abbé Chamel est close. Elle a fourni 8, 714 guinées, 4 florins, 11 pesetas ; le monument ne sera ni de marbre, ni de bronze, mais d'un solidifié — hommage touchant — de beurre, crème et œufs.

***

A Paul Déroulède, notre barde national

Mon cher Paul,
... Je comprends que vous ayez — et cela vous honore — les yeux constamment tournés vers l'Est. Une simple question, cependant : est-ce que cela ne vous gêne pas trop quand vous dînez en ville ?

***

71

Prière à la dame qui était assise hier soir, à côté de moi, dans l'omnibus Panthéon-Courcelles et à l'enfant de laquelle j'ai dit :

— Mon petit ami, si tu ne te tiens pas tranquille, je vais te fiche mon pied dans les parties ; et qui m'a répondu :

— Pardon, monsieur, c'est une petite fille...

prière à cette dame de passer au journal.

***

Le respectable vieillard que j'ai rencontré avant-hier au coin du boulevard Saint-Michel et de la rue des Martyrs, et auquel j'ai donné par pure distraction un coup de pied dans le derrière, et qui s'est retourné en me disant :

— Mais, monsieur, ce n'est pas moi...

est instamment prié de passer aux bureaux de la rédaction pour réparation urgente.

***

Quelque fois, la langue me fourche, et au lieu de dire : ami d'Honfleur, je dis : fleur d'ami d'Hon !

***

Miss Sarah Vigott, à Chicago : C'est en effet une des mille anomalies de la langue française : dans la même phrase, quand le mot vase est du féminin, le mot chenal est du masculin, et réciproquement.

Ainsi l'on dit : « Le chenal charrie une vase infecte.», et : « Lachenal fabrique des vases exquis. »

Dans ce dernier cas, Lachenal s'écrit d'un seul mot.

***

Je rappelle instamment à toutes les personnes qui m'écrivent au « journal » qu'elles doivent joindre un timbre de quinze centimes, non pas pour la réponse — je ne réponds jamais — mais pour affranchir mes lettres aux fournisseurs.

***

Je réponds en bloc à beaucoup de « lecteurs fidèles » de province qui me demandent s'il leur sera possible de m'offrir à déjeuner au cours de leur passage à Paris. Rien de plus simple, mais prière de s'inscrire au moins quinze jours à l'avance.

***

J'adore les grosses jeunes filles blondes, très fraîches, dont les yeux sont petits et noirs. Avis aux personnes qui rempliraient ce programme.

***

Reçu de nombreuses souscriptions à destination de la Société Franco-Lapone pour le tirage, au moyen de rennes, de cyclistes aux montées.

Malheureusement, à la suite d'une erreur de comptabilité, les sommes reçues ont été employées en grande partie à payer les boissons fraîches que j'ai dû absorber la semaine dernière.

Le reliquat a été versé entre les mains d'un marchand de parapluies du Havre, ville en laquelle m'a surpris l'orage.

***

Je reçois depuis quelques mois une recrudescence de lettres pleines de cordialité, mais un peu familières, où l'on m'appelle : « mon cher Alphonse » ; certains vont jusqu'à me tutoyer.

Je préviens ces messieurs et dames qu'à l'avenir je ne décachetterai que les correspondances absolument respectueuses.

***

A quelques lecteurs : Parfaitement !
A d'autres : Jamais de la vie !

Pensées autographes

Le service est bien long sur la Côte-de-Grâce !
Garçon ! servez-moi mon entrecôte, de grâce !

A. A.

Ces pensées « autographes » ont ceci de particulier que la signature de leur auteur supposé fait partie intégrante du texte ; elle en est même la chute indispensable, pour ne pas dire le complément direct.

Le soir, beaucoup de femmes pressées vont au trot

THOUARS.

***

Le mandat impératif est une institution parfaitement logique. Il est juste que les députés rendent compte de leurs votes

O. COMETTANT.

***

Voici l'hiver ; j'ai cherché ma boule d'eau chaude pour me chauffer les pieds. Elle est disparue, je ne sais où

LABOULAYE.

***

C'est souvent le plus fort qui cède

HERCULE.

***

Généralement, on se blesse quand on tombe

DEHAUT.

***

Quand on va à la campagne et qu'on a une robe légère, il faut se garer

DUBUISSON.

***

L'illustre Sainte-Claire-Deville ne peut s'approcher de moi sans se boucher le nez. Je ne sais pourquoi

DE VILLEMESSANT.

***

On m'avait dit qu'à Londres je trouverais des voitures à deux places *cab*. Pas plus à Londres qu'à Paris, je n'ai trouvé de cab

BRIOLLET.

***

Quand on commande : En place, repos ! il ne faut pas s'écarter

DURAND.

***

Je suis directeur de théâtre, mais avant tout Alsacien ; aussi je n'aime pas à entendre crier : *Bis !*

MARCK.

***

Beaucoup de gens trouvent que M. Berthaud, l'honorable député du Calvados, n'est pas un Adonis ; moi je ne trouve pas

BERTHOLLET.

***

Quand j'étais enfant, tous les matins je cherchais des yeux mon ange gardien. Il était disparu, je ne sais où

LANJALLAY.

***

Quand on s'évade de Mazas, on ne sort pas par la porte

MAILLOT.

***

Mon petit-neveu apprend à écrire, il fait en ce moment beaucoup d'*f*

FAURE.

***

Beaucoup de soldats aspirent à devenir sergent

DEVILLE.

***

J'ai demandé à Got son avis sur l'état actuel de l'art.

LA REINE INDIGO.

***

Quand je vois un machiniste dans les frises, je ne puis m'empêcher de lui dire : Prends garde de tomber,

THÉO.

***

Beaucoup de gens affirment que je tiens à l'argent. C'est une erreur. Je ne suis pas rat

PYAT.

Pensées « heurt au graphe »

Bien avant Raymond Queneau, entre autres, Alphonse Allais s'intéressa au problème de la réforme de l'orthographe.

La réform de lortograf

La kestion de la réform de lortograf est sur le tapi. Naturelman, il y a dé jan qui se voil la fass kom sil sajicé de kelk onteu sacriléj. Dôt-z-o contrer trouv ça tré bien. Kom de just, je fu lun dé premié interviouvé. Mon cher mêt parci, mon cher mêt parlà, ke pancé vou de cett réform ?

Ce ke jan pans, cé tré simpl : je la trouv exélante.

Je me suis déjà expliké sur ce sujé dan les *Anal Politic é Litérer* é me sui caréman ranjé du côté de Gréar.

Jé mêm naré la grande coler dune dame ki sécrié : « Lortograf ! mé cé notr sauvgard, a nous zôt mondène ! Si on suprim lortograf, coman pouraton fer la diférans entr une duchess é la demoisell dun concierj ! »

Toubo, ma bel, toubo ! O ke voilà dès sentiman ki retard sur notr époc uniter é démocratic !

Yatil donc une si grande diférans entre une duchess é la demoisell dun concierj ?

E pui, par cé tan dinstruccion obligatoir, lé demoisell dé

83

concierj en remontreré souvan a plu dune grande dam, ne vouzi trompé pa !

Koi kil en soi, ce projé de réform a lé plu grande chans dêtr adopté, sinon ojourdui, du moin dan peu de tan.

On écrira com on parl, é person ne san trouvera plu mal.

Ki nou dit ke no petit neveu ne se railleron pa de notr mani dimposé de tel form a tel mot pluto que tel ôtr ?

Cet réform, je ne me le dicimul pa, a contr el de puissan zennmi. Leconte de Lil, Françoi Copé et dôtr. Copé, lui, pleur de ce kil ny a kun *h* à *ftisi.* Si on lécouté, on écriré *phthisie,* pourquoi pas *phtihishie* pendan kil y é ?

Tou ça, ce son dé zanfantiyaj, é tené pour certin ke si lortograf né pa morte, o moin el a du plon dans lel.

Dé zespri moyen, dé zoportunist com on di en politic, propoz timideman de respecté lé non propr. Pourkoi don ça ?

Kan on fé une réform, il fo la fer radical ou ne pa san mêlé, voila mon avi !

Je sé bien kil y ora dé nom don la fizionomi changera du tou au tou. Moi, par exempl, je signeré *Francisc Sarcé* é ça nan sera pa plu vilin.

Rodolf Salis ne sera pas tro atin par ce changeman. Le povr Alfons Alé y perdra si lètre : cé bocou.

Raoul Ponchon fé son malin parce ke son non échap o zéfé de ce chanjman.

Par contr, un qui é for annuié cé ce povr Laurent, lexélan chapelié de la ru Lafayett. Désormé, il sapelra Loran et le malheureu ne peu se fer à cet idé. Nou, nou demandon seulman que sé chapo ne soi pa modifié, voila tou.

An tout ca, cé le *Cha noir* ki ora doné le branl a ce mouvman, en adoptan résolumen lortograf fonétic é en nan acceptan pa dôtr dans sé colonn.

Nou véron si la Frans é toujour ce péï de routine kon nou corn o zoreil depui tan de tan !

FRANCISC **SARCÉ**
Le Chat noir, 25 février 1893.

Ce roman, auquel je travaille jour et nuit, sera tout entier écrit dans ce parti pris.

C'est le récit des aventures d'une juive algérienne qui m'a fait bien souffrir dans le temps.

Il est intitulé :

« O DS FMR ! »

En désirez-vous un vague aperçu, un bref résumé ?

D'abord en langage actuel :

« Haydée Cahen est née au pays des hyènes et elle y a été élevée.

« Elle est sémite et athée.

« Élie Zédé l'a chopée occupée à chahuter avec Huot, abbé à Achères, et Lucas, évêque à Sées, etc., etc. » (J'abrège, à cause de la chaleur qu'il fait, de la soif qui s'ensuit et du litre de cidre que je dois aller quérir si loin !)

Voici maintenant ce petit ci-dessus résumé, transcrit d'après ma nouvelle méthode :

« AID KN N E O PI DIN E LIA ET LV.

« L SMIT AT.

« LI ZLHOP OQP HAUT AVQO AB A HR LUK EVK C. »

Etc., etc.

Un détail ajoutera beaucoup de piquant à mon histoire : c'est que les héros de l'aventure, Haydée Cahen, Élie Zédé (un cousin du célèbre sous-marin Gustave Zédé), l'abbé Huot, Mgr Lucas, etc. etc., tout ce monde est actuellement vivant, et je puis légitimement compter sur un joli scandale dans le lanterneau.

***

Les Mots dans le sens interdit

...la clé *.

* A propos de " clé ", plusieurs lecteurs ont bien voulu me manifester leur stupeur que récemment j'écrivisse la " *cleph du*

mysthère ". Je suis le premier à regretter cet incident, et j'eus bientôt fait de donner ma démission de la Ligue pour la " *Quomplykasiont deu l'Aurthaugraphes* ".

***

Il est difficile de se rendre un compte même approximatif, à moins d'avoir beaucoup pâli sur la question, de la place que pourront gagner les littérateurs, du jour où il se décideront à écrire " téâtr " au lieu de " théâtre ", " lètr " au lieu de " lettre " et " filandreu " au " lieu de " philandreux ". Environ trente pour cent !

***

Les romans de 300 pages n'en compteront plus que 200, et, au lieu de les payer 3 francs, on les aura pour quarante sous !
Si vous trouvez que cela n'est rien, vous !

***

C'est que moi, je ne me contente pas de transformer " Hérault " en " Ero ", j'écris froidement " RO ". Non moins froidement, j'écris " NRJ " pour " Énergie " et " RIT " pour " Hériter ".
Je me garde bien de mettre :
" Hélène a eu des bébés. "
Combien plus court, grâce à mon procédé :
" LN A U D BB. "

***

Il s'agit aujourd'hui des différentes orthographes du mot " sang ", qui ondoient suivant la qualité, la couleur, la température, etc., etc.
Quand, par exemple, vous parlez, dans le *Journal*, de ce jeune esthète que vous appelez, je crois, Sarcisque Francey ou Sancis-

que Frarcey (ou un nom dans ce genre-là), vous dites : " Ce petit jeune homme détient le record du bon sens. "

Mais dès qu'il est question du chasseur Mirman, vous écrivez : " Le député de Reims se fait beaucoup de *mauvais sang.* " Donc, *s, e, n, s* quand c'est bon ; *s, a, n, g* quand c'est mauvais. De même l'orthographe de ce mot varie avec la couleur : quoique le sang soit habituellement rouge, vous écrivez " faire semblant " *s, e, m,* et " *sambleu !* " *s, a, m.*

Expliquez cela, s. v. p. !

Ce n'est pas tout :

Pourquoi écrivez-vous : " M. Barthou perdit son *sang-froid* " *s, a, n, g* et " Don Quichotte perdit son *Sancho* " *s, a, n* ?

***

Je met un *x* à *preu* dans la seule occasion où il s'en trouve plusieurs, de preux. Autrement on n'en finirait pas.

J'écris *pneux* et non *pneus* ainsi que le font la plupart des bécanographes. Les mots en *eu* prennent un *x* au pluriel. Je ne vois pas pourquoi on ferait exception pour *pneu.*

***

Tenez, si vous vous appeleriez *Filmaseur,* prénommez jamais votre chiare *Jean,* surtout, non plus que si votre nom est *Pétarde, Culasec, Barasse* ou *Névudautre.* J'ai connu un certain monsieur *Térieur* qui a eu deux jumeaux. Il les a appelés *Alex* et *Alain,* ça fait pas sérieux. C'est comme le dénommé *Dupanier* qui avait prénommé son fils *Hans,* ou comme mon copain *Dondecourse* que son vieux avait baptisé *Guy.*

Jean Filmaseur	=	j'enfile, ma sœur
Jean Pétarde	=	j'en pétarde
Jean Culasec	=	j'encule à sec
Jean Barasse	=	J'embarrasse
Jean Névudautre	=	j'en ai vu d'autres
Alex Térieur	=	à l'extérieur

Alain Térieur	=	à l'intérieur
Hans Dupanier	=	anse du panier
Guy Dondecourse	=	guidon de course

***

EXERCICES DE STYLE

[..] Donc nos deux Suissesses... C'est la première fois que j'écris « Suissesses » et je suis épouvanté par la quantité de « s » absorbée par ce simple mot : six « s » pour dix lettres !

***

C'est ce brin de myosotis qui devait lui rafraîchir la mémoire. Le myosotis a toujours passé pour un végétal mémorifère en diable. Ainsi les Allemands l'appellent « Forget me not », les Français l'appellent « Vergiss mein nicht », et les Anglais : « Ne m'oubliez pas ».

***

Juste à ce moment, un jeune gentleman se présenta.
Et quand je dis un « gentleman », ce n'est pas par ridicule manie d'exotisme, mais bien parce que le nouveau venu était un Anglais. S'il avait été un Espagnol, j'aurais dit un « caballero ».
S'il avait été un Italien, j'aurais dit un « signor ».
Et ainsi de suite.
Mais c'est un Anglais, alors je dis un « gentleman ».
Et comme il n'a pas beaucoup plus de vingt ans, je dis un « jeune gentleman ».
Je pourrais même dire « a young gentleman », mais je ne suis pas payé pour écrire en anglais.

***

Au-dessous de son manoir, et bien en vue, le pré du père Fabrice s'étalait au soleil comme un immense drapeau vert, un drapeau sur lequel on aurait tracé une inscription jaune, et cette inscription portait ces mots effroyablement lisibles :
MONSIEUR
LE BARON LAGOURDE
EST COCU !

Le miracle était bien simple : cette vieille fripouille de père Fabrice avait semé dans son pré ces petites fleurettes jaunes qu'on appelle boutons d'or en les disposant selon un arrangement graphique qui leur donnait cette outrageante et précise signification : le père Fabrice avait fait de l'*Anthographie* sur une vaste échelle.

***

Je me réveillai dans la nuit, la tête lourde, le cœur pas bien d'aplomb, en proie à ce phénomène bien connu des buveurs et que les gens de basse extraction qualifient " *gueule de bois* " (" *Xylostome* " serait plus scientifique).

***

Ils avaient formé une société secrète de treize membres dont chacun s'était affublé, non seulement d'un sobriquet, mais encore d'un numéro d'ordre, afin d'éviter des confusions toujours désagréables.

Voici comment se désignaient entre eux ces treize mystérieux lascars :

Kelk I, Douzaine II, Leudet III, Delhi IV, Toiturand V, Double VI, Lapin VII, Pitt VIII, Dupont IX, Lapin X (qu'il ne faut pas confondre avec *Lapin VII*), *Alph XI, Tout XII* et *Léon XIII* !

***

Un jour, je traversai la rue Greneta en pensant à Lucie, quand

89

je rencontrai — je vous le donne en mille — quand je rencontrai Lucie.

Lucie !

Mon sang ne fit pas cent tours.

Mon sang ne fit pas cinquante tours.

Mon sang ne fit pas vingt tours.

J'abrège pour ne pas fatiguer le lecteur : mon sang ne fit pas dix tours.

Mon sang ne fit pas cinq tours.

Non, mesdames, non, messieurs, mon sang ne fit pas seulement deux tours.

Vous le croirez si vous voulez, mon sang...

Mon sang ne fit qu'un tour.

***

— Eh bien ! Axelsen, le saluâmes-nous, ça ne va pas ? Tu as l'air navré.

— Je suis navré comme un Havrais lui-même.

(Il convient de remarquer qu'Axelsen ne prononce jamais les *h* aspirés, détail qui explique tout le sel de la plaisanterie.)

Pensées à boire

Une pause désaltérante dans la recherche de LA PENSÉE ALLAISIENNE.

Notre Maître es humour n'était pas particulièrement sobre, et avec son complice Albert Caperon — alias le Captain Cap —, il avait un point commun : l'alcool !

Allais connaissait par cœur les meilleurs endroits de Paris où l'on pouvait les servir, car il tenait à préparer lui-même ses élixirs euphorisants sous l'œil amusé du barman... « La première fois que j'ai eu le plaisir de rencontrer Cap, c'était au bar de l'hôtel Saint-Pétersbourg ; la seconde fois, à l'Irish bar de la rue Royale ; la troisième fois, au Silver Grill ; la quatrième, au Scotch Tavern de la rue d'Astorg ; la cinquième, à l'Australian Wine Store de l'avenue d'Eylau. Peut-être intervertis-je l'ordre des bars, mais, comme on dit en arithmétique, le produit n'en demeure pas moins le même... »

Le rédacteur de ces lignes a personnellement testé le « Corpse reviver », savant mélange étonnant et détonnant de douze liqueurs et alcools différents versés à la petite cuillère et à boire cul sec !

HIC !
A votre santé !

Alabazam cocktail. Glace pilée, quelques gouttes d'angustura et de jus de citron, cuillerée à café de curaçao, remplissez avec cognac, passez, zeste de citron, servez. Tel est l'*Alabazam.*

Ale-flip. Au début d'un rhume, rien de tel qu'un *ale-flip.* Vous le préparez ainsi. Faites chauffer un demi-verre de pale-ale, mélangez à part un œuf avec une cuillerée à bouche de sucre en poudre, saupoudrez de muscade. Après avoir bien battu le tout, versez lentement dans la bière en remuant vivement par petite quantité. Cette boisson est une sorte de lait de poule à la bière.

American grog. Faites chauffer moitié vieux rhum, moitié eau, sucrez et ajoutez un rond de citron dans lequel vous aurez fiché quatre clous de girofles. Réchauffant et stimulant.

Corpse reviver. Cette consommation, d'une si originale fantaisie, est assez difficile à préparer, les produits qui la composent étant eux-mêmes de densités fantaisistes. Il s'agit de verser à l'aide d'une petite cuiller, avec infiniment de précaution pour ne pas les mélanger, les douze liqueurs suivantes : grenadine, framboise, anisette, fraise, menthe blanche, chartreuse verte, cherry-brandy, prunelle, kummel, guignolet, kirsch et cognac. On avale d'un seul coup.

Cosmopolitan claret punch. Dans un grand verre plein de glace pilée, versez une cuillerée de sirop de framboise, une de marasquin, une de curaçao. Ajoutez un verre à liqueur de fine champagne, finissez avec du vieux bordeaux. Une tranche d'orange, fruits selon la saison, chalumeau.

Gin cling. Pour obtenir un *gin cling,* faites chauffer moitié gin, moitié eau, ajoutez sucre en poudre et jus de citron, versez et buvez avant que cela ne refroidisse.

Gin-flip. Dans de la glace en petits morceaux, deux cuillerées de sucre en poudre, un jaune d'œuf bien frais, petite quantité de crème de noyaux, finir avec du *Old Tom Gin.* Agitez, passez, versez, saupoudrez de muscade. Excellent stimulant au cours des températures rafraîchissantes que ce *gin-flip !*

Ice-cream-soda. Cap procède de la sorte : dans un récipient rempli de glace écrasée par lui-même, il verse deux verres à liqueur de crème de vanille et un de kirsch. Il complète avec moitié lait et moitié eau-de-seltz. On peut varier selon les goûts et remplacer la crème de vanille, par de la crème de cacao ou telle autre liqueur qui vous plaira. On peut également substituer le rhum au kirsch.

Irish whisky cocktail. Même préparation que le *brandy-cocktail,* en remplaçant le brandy par de l'*Old Tom Gin.*

Thunder. Bon réconfortant que le *Thunder :* glace en petits morceaux, demi-cuillerée de sucre en poudre, un œuf entier bien frais et un verre de liqueur de vieux cognac, une forte pincée de poivre de Cayenne. Frappez, passez, buvez.

Whisky cocktail. Dans votre verre à mélange, mettez quelques petits morceaux de glace, quelques gouttes d'angustura, une petite quantité de curaçao et de liqueur de noyaux, complétez avec du *scotch whisky.* Agitez, passez et versez. Lorsque le cocktail est servi, coupez délicatement et en fines lames un zeste de citron que vous cassez légèrement en deux afin d'en faire jaillir le jus et que vous plongez ensuite dans le verre.

Whisky stone fence. Le *whisky stone fence,* autrement dit *barrière de pierre* du whisky, n'est autre que d'excellent cidre sucré et frappé dans lequel vous ajoutez un verre d'*irish* ou de *scotch whisky.* On peut remplacer ces spiritueux par du calvados.

EAU

Voici le procédé dont je me sers depuis longtemps et qui m'a toujours parfaitement réussi.

Je mets mon eau sur le feu. Quand elle est bien bouillante, je l'expose brusquement à un courant d'air. Les microbes qui ont, comme vous le savez, la poitrine excessivement délicate, attrapent un bon petit chaud et froid dont ils se relèvent rarement.

Quand je n'ai pas de feu sous la main, en bicyclette par exemple, ou sur une banquise, je me contente de couper mon eau d'une petite quantité de gin (un quart d'eau, trois quarts de gin.)

Ce procédé, que je tiens du Captain Cap lui-même, est également recommandable.

Pensées mirobolantes,
mais inventives

Allais attribuera toujours au Captain Cap ses inventions les plus sensationnelles, parmi lesquelles nous avons noté, entre autres :
— le procédé de remise à neuf des vieux confetti,
— les communications inter-astrales,
— les 134 km à l'heure sur une « nonuphette »,
— le record et le championnat du monde du millimètre,
— les sanas de l'avenir,
— le cache-poussière pour sous-marin,
— le dégel du pôle,
— le teinturier pour fontaine lumineuse,
— la transformation des motocycles en voitures à quatre roues,
— et le renard bleu à la portée de toutes les bourses.

Mais l'exploit le plus formidable de Cap fut certainement sa candidature officielle aux élections législatives du 20 août 1893, dans le 9e arrondissement de Paris, quartier Saint-Georges. Présenté par un comité anti-européen et anti-bureaucratique, qui tenait ses réunions électorales à l'Auberge du Clou, son programme éclectique présentait les innovations suivantes :

1) l'Établissement d'un fort-observatoire sur la Butte Montmartre, dont les lunettes serviront de canons ;

2) la place Pigalle, port de mer ;

3) suppression de l'impôt sur les bicyclettes ;
4) rétablissement de la licence dans les rues au point de vue de la repopulation ;
5) continuation de l'avenue Trudaine jusqu'aux grands boulevards ;
6) suppression de la bureaucratie ;
7) établissement sur la Butte d'une plaza de toros et d'une piste nautique ;
8) suppression de l'École des Beaux-Arts.

A quoi, il promit d'ajouter plus tard : la création d'un conseil des disques pour punir les accidents de chemin de fer ; défense d'abandonner des tunnels sans lumière sur la voie publique ; accaparement par l'État du monopole des fontaines d'eau chaude ; percement du grand tunnel polyglotte, et surtout : l'aplatissement de la Butte Montmartre. Au cas où cette mesure serait trop coûteuse, surélévation de Paris !

LISTE NON EXHAUSTIVE DES INVENTIONS D'ALPHONSE ALLAIS

— L'appareil à détacher la moutarde des parois du pot à moutarde.
— L'appareil pour extraire les plumes des porte-plume.
— Les chaussures ventilées.
— L'éventail mécanique à pédale.
— Le porte-plume-crayon-lunette.
— Le perfectionnement dans les pipes à tabac et sifflets d'alarme combinés.
— Les chapeaux lumineux.
— Les chaussures pour bestiaux.
— Le porte-épingle servant de carte-lettre.
— La canne à pêche avec pompe à bicyclette.
— L'exécution de morceaux de musique par les animaux.
— Le nouveau procédé de fabrication et son emploi pour la préparation sûre et infaillible de la sauce mayonnaise.

— Le coton noir pour les oreilles des personnes en deuil.
— La casserole carrée pour empêcher le lait de tourner.
— Les plantes grimpantes pour monter le courrier dans les étages.
— Les balayeuses municipales à rouleaux de papier buvard, pour assécher les rues après la pluie.
— Un amidon bleu, blanc, rouge, pour maintenir les drapeaux déployés les jours où il n'y a pas de vent.
— L'aquarium en verre dépoli pour poisson timide.
— La muselière en baudruche pour empêcher les escargots de baver dans la salade.
— Les « glaçouillettes » pendant les fortes chaleurs dans les wagons des Grandes Lignes.
— Le microbe du froid.
— Le microbe de l'insolation.
— Les plans d'éclairage par des yeux de tigre.
— Le contrôle par photographie du ramassage des ordures ménagères.
— Les turbines presse-papier.
— Les locomotives-tire-lire.
— L'utilisation des énergies perdues, tel le mouvement oscillatoire du bras gauche chez les troupes en marche.
Mais également :
— La construction des autoroutes.
— La guerre microbienne.
— La fécondation artificielle.
— La photographie en couleurs.
— La synthèse artificielle des pierres précieuses.

TOUTES ÉLUCUBRATIONS DONT SE GAUSSÈRENT, BIEN ENTENDU, SES CONTEMPORAINS !...

Invention proposée au président du Conseil municipal de Paris pour l'ouverture de :
l'EXPOSITION UNIVERSELLE de 1900

Installation, place de la Concorde, d'une pendule si immense, qu'on pourrait, au besoin, se servir de l'Obélisque comme balancier.

Ainsi toutes les Nations réunies à Paris dans ces joutes du travail et de la peine, pourront enfin entendre sonner l'heure de la Concorde.

Pensées
olorimes

Pourquoi rit-on ? Comment rit-on ? Où rit-on ?
Mir lit-on ?

A.A.

Une des spécialités d'Allais était le distique olorime, c'est-à-dire un poème composé de deux vers seulement, et qui rimaient exactement entre eux. Mais si le son était le même, le sens, lui, était bien différent ! Exemple :

Alphonse Allais de l'âme erre et se f...out à l'eau.
Ah ! l'fond salé de la mer ! Hé ! Ce fou ! Hallo !

Le public est prié d'apporter sa bienveillante attention à ce curieux exercice.

Ainsi que dans le cochon où tout est bon, depuis la queue jusqu'à la tête, dans mes vers, tout est rime, depuis la première syllabe jusqu'à la dernière.

Allons-y.

Par ses charmes, appas, ris, et du Pacha beauté
Parsé charma Paris et dupa chat botté !

***

Moine (oscar) de Vitot ramona ... J'étranglais !
Moi, Nauscarde Victor, à mon âge, être anglais !

***

105

EXHORTATION AU PAUVRE DANTE

Ah ! vois au pont du Loing ! De la vogue, en mer, Dante !
Have oiseau, pondu loin de la vogue ennuyeuse.
(*La rime n'est pas très riche, mais j'aime mieux ça que la
trivialité.*)

***

PROPOSITION FOLICHONNE D'UN PEINTRE UN PEU LOUFOC QUI VOULAIT ENTRAÎNER UNE JEUNE FEMME DANS DES CRYPTES, A SEULE FIN DE LUI PEINDRE LE DOS AVEC DE LA COULEUR VERTE.

Je dis, mettons, vers mes passages souterrains
Jeudi, mes tons verts, mais pas sages, sous tes reins.

***

UN GRAND SEIGNEUR ANGLAIS SE GUÉRIT DU SPLEEN PAR L'EXERCICE EN PLEIN AIR

Sir Eveill — il paraît —, chasselas détraqué,
Se réveille ! Il part et chasse, las d'être à quai.
(Sir *se prononce seur. Et ta sœur ?*)

***

RÉSULTAT DU PARI QU'AVAIT FAIT LE GRAND ENTREPOSITAIRE SOUBEYRAN DE PORTER SUR SES ÉPAULES NOTRE SYMPATHIQUE CONFRÈRE, M. ÉMILE BERR, DU « FIGARO ».

Soubeyran, marchand de vin, pale ale, porter,
Sous Berre, en marchant, devint pâle à le porter.
(*Pale ale, porter, se prononce : pâle à le porter, autrement ça
ne rimerait pas*).

***

CONSEILS A UN VOYAGEUR TIMORÉ, QUI S'APPRÊTAIT A TRAVERSER UNE FORÊT HANTÉE PAR DES ÊTRES SURNATURELS

Par les bois du Djinn, où s'entasse de l'effroi,
Parle et bois du Gin ou cent tasses de lait froid.
(Le lait froid, absorbé en grande quantité, est bien connu pour donner du courage aux plus pusillanimes.)

***

DISTIQUE D'UN GENRE DIFFÉRENT DES PRÉCÉDENTS POUR DÉMONTRER L'INANITÉ DE LA CONSONNE D'APPUI

Les gens de la Maison Dubois, à Bone, scient,
Dans la froide saison, du bois à bon escient.
(C'est vraiment triste, pour deux vers, d'avoir les vingt-deux dernières lettres pareilles, et de ne pas arriver à rimer).

***

A UN PAGE BLEU DE LA REINE ISABEAU

Dans ces meubles laqués, rideaux et dais moroses,
Où, dure, Ève d'efforts sa langue irrite (erreur !)
Ou du rêve des forts alanguis rit (terreur !)
Danse, aime, bleu laquais, ris d'oser des mots roses.

***

Eau, puits, masseur, raide huis, habit, table, chandelle,
Oh ! puis, ma sœur, réduits habitables, chants d'elle !

***

107

Rigide comme un cyclamen,
Chevauchez votre cycle. Amen.

***

Aidé, j'adhère au quai. Lâche et rond, je m'ébats
Et déjà, des roquets lâches rongent mes bas.

***

LE PARIA

Le paria, hâve et blême, au bord de l'Indus trie
De vieux chiffons, qu'il livre ensuite à l'industrie.

***

LE BŒUF A LA VACHE

D'où te vint
L'air boulot ?
L'herbe ou l'eau ?
Doute vain.

O Seigneur !
Quelle panse !
Qu'elle pense
Au saigneur.

RÉPONSE DE LA VACHE

J'ai mi-soûle
Gémi sous le
Faix nouveau.
Aide ! Grâce !
Et, de grasse
Fais-nous veau.

***

108

SONNET OLORIME

(Invitation à venir à la campagne prendre
Le frais, une nourriture saine et abondante,
Des sujet de chroniques et des bitures).

Je t'attends samedi, car, Alphonse Allais, car
A l'ombre, à Vaux, l'on gèle. Arrive. Oh ! la campagne !
Allons — bravo ! — longer la rive au lac, en pagne ;
Jette à temps, ça me dit, carafons à l'écart.

Laisse aussi sombrer tes déboires, et dépêche !
L'attrait : (puis, sens !) une omelette au lard nous rit,
Lait, saucisse, ombres, thé, des poires et des pêches,
Là, très puissant, un homme l'est tôt. L'art nourrit.

Et, le verre à la main, — t'es-tu décidé ? Roule —
Elle verra, là mainte étude s'y déroule,
Ta muse étudiera les bêtes et les gens !

Comme aux Dieux devisant, Hébé (c'est ma compagne)...
Commode, yeux de vice hantés, baissés, m'accompagne...
Amusé, tu diras : « L'Hébé te soûle, hé ! Jean ! »

Le Chat noir, août 1892.

J. Goudeski.

Citant ce sonnet, Horace Valbel (Les Chansonniers et les caba-
rets artistiques) *mentionne que Jules Lemaître, parlant de ce
sonnet olorime, dit que « c'est le seul qui existe dans la langue
française et probablement dans toutes les langues. »*

109

Pensées
poétiques

QUI EST FRAIS ?
ALLAIS.

Verlaine.

Nous faisions de la Poésie
Anesthésie, anesthésie ... (air connu)

A.A.

PROSODIE NOUVEAU JEU

Le vers néo-alexandrin, dont j'ai l'honneur d'être l'auteur, se distingue de l'ancien en ce que, au lieu d'être à la fin, la rime se trouve au commencement. (C'est bien son tour.)

Ce nouveau vers doit se composer d'une moyenne de douze pieds ; je dis d'une moyenne, parce qu'il n'est pas nécessaire que chaque vers ait personnellement douze pieds.

L'important est qu'à la fin du poème, le lecteur trouve son compte exact de pieds, sans quoi l'auteur s'exposerait à des réclamations, des criailleries parfaitement légitimes, nous en convenons, mais fort pénibles.

Voici un léger spécimen de ces vers néo-alexandrins :

CHER ami gardéniste, amateur de bonne	11
CHERE, on t'appelle à l'appareil téléphonique	12
ALLÔ ! qu'y a-t-il ? — voici.	7
A L'HÔtel Terminus (le fameux Terminus)	12
NOUS NOUS réunirons	6
(NOUNOUS, le présent avis n'est pas pour votre fiole)	15
SAMEDI... (non lundi) 20 mars à 7 heures précises	13
ÇA ME DIT, cette proposition, et à toi aussi j'espère	17
LUNDI 20 mars donc... (non samedi, mais non lundi)	13

L'UN DIT une chose, l'autre une autre, voilà comme on se
  trompe   16
ON SE les calera bien, foi d'Alf   9
ONSE Allais! après quoi suivront   8
CONCERT varié, danses lascives, bref le programme   14
QU'ON SERT d'habitude dans nos cordiales et charman-
  tes petites soirées   20
AMENE ta bonne amie, ça nous fera plaisir   13
AMEN!...   9
                                                                 ———

Or $\frac{192}{16} = 12$ C.Q.F.D. 192

RIMES RICHES A L'ŒIL

Étonnant le jury par sa science en dolmens
Le champion de footing du Collège de Mens,
Gars aux vaillants mollets, durs tel l'acier Siemens,
A passé l'autre jour de brillants examens.
Que je sois foudroyé sur l'heure, si je mens !
In corpore sano, vive Dieu ! sana mens.

P.S. — J'entends murmurer quelques personnes dans l'assis-
tance et prétendre que sur ces six vers, pas un ne rime. Ne vous
ai-je point prévenu que ce petit poème était dû à M. Xavier
Roux, le poète sourd-muet de Grenoble ?
   En matière de rimes, les sourds, comme l'indique leur nom, ne
connaissent que d'ophtalmiques satisfactions.

CHIMIES
LYRIQUES

L'oxygène a pour densité
On en a fait l'étude
1,1056 calculé
Avec exactitude
Il entretient la combustion
La faridondaine, la faridondon
C'est lui qui entretient la vie
   Biribi
A la façon de barbari
   Mon ami

On le prépare en calcinant
Le potassiqu' chlorate
Mais il faut chauffer doucement
De peur que ça n'éclate
Les poumons quand nous respirons
La faridondaine, la faridondon
S'dilatent l'un et l'autre à l'envi
   Biribi
A la façon de barbari
   Mon ami

Zéro, zéro, six, neuf, deux, six,
Telle est de l'hydrogène
D'après Thénard et Regnault fils
La densité certaine
Il sert à gonfler les ballons
La faridondaine, la faridondon
Il éteint aussi les bougies
   Biribi
A la façon de barbari
   Mon ami

K. LOMEL

115

LE SOUS-VÉTÉRINAIRE ANGLAIS
PUNI PAR OÙ IL AVAIT PÉCHÉ

(Poème en six chants dont une moralité)

I

Au fond du comté d'York
Connu pour l'excellence
De son porc,
Supérieur, d'après nous, à celui de Mayence,
Vivait un quidam
Dont la devise cruelle
Était voici laquelle :
Arrachons
Les ovaires
Aux femelles des cochons
Pour les empêcher de devenir mères.
A ce triste métier,
Qui révolte mainte conscience,
Notre particulier
Appliquait toute sa science,
Tous ses efforts
Et sa plus farouche énergie.
Ajoutons que, sans mettre de côté des ors,
Il y gagnait très bien sa vie.

II

Or, un jour, il advint
Que notre sous-vétérinaire
Ayant liché, non pas du vin,
Mais trop de gin et trop de bière,
S'endormit au fond d'un vert pré,
Sa culotte un peu trop à l'aise,
(Comme faisait le bon Noé
Dans son total oubli de la pudeur anglaise).

116

III

D'accord avec l'auteur, le chapitre III a été supprimé, afin de permettre au lecteur d'arriver plus vite au si captivant chapitre IV.

IV

De la vie au grand air goûtant les saines joies,
Vinrent à passer par là
Quelques oies
En grand tralala
Dont l'une semblait irisée
De toute couleur,
Si bien qu'on l'avait baptisée L'OIE FULLER (1).
Une autre d'elles
Apercevant l'individu
Se jeta, battant des ailes
Sur le pauvre homme à moitié nu

....

Plus noires que les houilles
De son pays
Elle lui... *(Le reste est absolument indéchiffrable.)*
Qu'elle avala comme un salmis.

V

Et depuis cette époque,
Le triste sir (2)
Dont on se moque
Connaît le déplaisir,
Toujours, toujours par les beaux temps ou par les pluies,
Devant Amour de rester coi.

_____

(1) Prononcez à l'anglaise. Les ballets de Loïe Fuller étaient célèbres à l'époque.

(2) Prononcez à la française.

VI

Moralité :

Ne fais pas aux truies
Ce que tu ne voudrais pas qu'on te fît à toi.

P.S. — A dire la vraie vérité, on ne fit point à notre Anglais exactement ce qu'il avait fait aux truies. Simple question de sexe et dans laquelle il serait puéril de ne voir clairement le doigt de Dieu.

NOUS NOUS ÉTALONS

Nous nous étalons
Sur des étalons
Et nous percherons
Sur nos percherons !
C'est nous qui battons,
A coup de bâtons,
L'âne des Gottons
Que nous dégottons...
Mais nous l'estimons (1)
Mieux dans les timons.
Nous nous marions
A vous, Marions,
Riches en jambons.
Nous vous enjambons
Et nous vous chaussons,
Catins, tels chaussons !
Oh ! plutôt nichons
Chez nous des nichons,
Vite polissons
Les doux polissons,

---

(1) L'âne, bien entendu.

Pompons les pompons
Et les repompons !
C'est nous qui poissons
Des tas de poissons
Et qui les salons
Loin des vains salons !
Tout d'abord pigeons,
Sept ou huit pigeons.
Du vieux Pô (2) tirons
Quelques potirons !
Aux doux veaux rognons
Leurs tendres rognons,
Qu'alors nous oignons
Du jus des oignons !
Puis, enfin, bondons
Nous de gras bondons.
Les vins ?... Avalons
D'exquis d'Avallons !
Après quoi, ponchons (3)
D'odorants ponchons.
Ah ! Thésaurisons !
Vers tes horizons
Alaska, filons !
A nous tes filons !
Pour manger, visons
Au front des visons.
Pour boire, lichons
L'âpre eau des lichons (4).
Ce que nous savons
C'est grâce aux savons
Que nous décochons

---

(2) La chose se passe en Italie.

(3) M. Raoul Ponchon, notre éminent confrère, ayant donné son nom à l'une des meilleures marques de cigares de la Havane, le verbe « poncher » est devenu synonyme de fumer avec délice.

(4) On appelle lichon, au Canada, le filet d'eau qui coule des glaciers.

Au gras des cochons.
Oh ! mon chat, virons
Car nous chavirons.

(Amours, délices et orgues)

LES COURSES DE VACHES
ET LE BEURRE INTÉGRAL

Lorsque les pis des vaches sont gonflés
De lait,
Les paysannes très grosses
Et précoces
Aiment assez à les traire,
Histoire de se distraire.
C'est une erreur assez répandue sous nos latitudes
En même temps qu'une très mauvaise habitude.
Ah ! ne portez jamais sur les pis
Une main impie !
Et si vous voulez mon avis,
Je vous dirai qu'il vaut mieux, à tous égards,
En fumant un bon cigare,
Assister à Longchamp ou ailleurs,
Sur le coup de deux heures,
A des courses de vaches
Montées par des artistes de la cravache.
Ces courses, on le devine,
Favorisent tout d'abord l'amélioration de la race bovine
Et puis, ne voit-on pas que, le long du parcours,
Le lait agité, remué, dès le premier tour,
Peu à peu se coagule,
Virgule,
Pour former un lait excellent,
Et cela tout naturellement.
Notez en outre,
En lieu clos, par conséquent,

120

A l'abri de l'air, de ses microbes et de ses ferments
Méphitiques,
De la sorte on obtient le vrai beurre aseptique,
Bref le véritable beurre intégral.
Dieu fait bien ce qu'il fait,
C'est là le principal.

(Le Sourire)

L'ENFANT CAMÉLÉON

Cet enfant est maigre et né pour la peine.
Son père, ouvrier lâche et violent,
Le bat constamment, le nourrit à peine.
Le petit Gustave est pâle, tout blanc.

Le petit garçon, toujours assez sage,
Vient de renverser par mégarde un seau.
Son père lui fait un mauvais visage :
Le petit Gustave est rouge ponceau.

Ce père cruel, d'une main trop sûre,
Se fait de le battre un barbare jeu.
Le corps de l'enfant n'est que meurtrissure :
Le petit Gustave est devenu bleu.

Pauvre créature ! Enfin, elle est morte
Ainsi qu'une fleur au souffle de l'air.
Dans la tombe froide, un jour, on l'emporte :
Le petit Gustave est devenu vert.

CAPTAIN CAP.

RIMES RICHES A L'ŒIL

L'homme insulté qui se retient
Est, à coup sûr, doux et patient.

121

Par contre, l'homme à l'humeur aigre
Gifle celui qui le dénigre.
Moi, je n'agis qu'à bon escient :
Mais, gare aux fâcheux qui me scient !
Qu'ils soient de Château-l'Abbaye
Ou nés à Saint-Germain-en-Laye,
Je les rejoins d'où qu'ils émanent,
Car mon courroux est permanent.
Ces gens qui se croient des Shakespeares
Ou rois des îles Baléares !
Qui, tels des condors, se soulèvent !
Mieux vaut le moindre engoulevent.
Par le diable, sans être un aigle,
Je vois clair et ne suis pas bigle.
Fi des idiots qui balbutient !
Gloire au savant qui m'entretient !

POÈME MORNE

(Traduit du belge)

Pour Maeterlinck.

Sans être surannée, celle que j'aimerais aurait un certain âge.
Elle serait revenue de tout et ne croirait à rien.
Point jolie, mais persuadée qu'elle ensorcelle tous les hommes,
Sans en excepter un seul.
On ne l'aurait jamais vue rire.
Sa bouche apâlie arborerait infréquemment le sourire navrant
de ses désabus.

Ancienne maîtresse d'un peintre anglais, ivrogne et cruel,
qui aurait bleui son corps,
tout son corps,
à coups de poing,
Elle aurait conçu la vive haine de tous les hommes.

Elle me tromperait avec un jeune poète inédit,
dont la chevelure nombreuse, longue
et pas très bien tenue
ferait se retourner les passants
et les passantes.

Je le saurais, mais lâche, je ne voudrais rien savoir.
Rien !
Seulement, je prendrais mes précautions.
Le jeune poète me dédierait ses productions,
ironiquement.

Cette chose-là durerait des mois
et des mois.
Puis, voilà qu'un beau jour Eloa s'adonnerait à la morphine.

Car c'est Eloa qu'elle s'appellerait.

La morphine accomplirait son œuvre
néfaste.
Les joues d'Eloa deviendraient blanches, bouffies,
si bouffies
qu'on ne lui verrait plus les yeux,
et piquetées de petites tannes.
Elle ne mangerait plus.
Des heures entières, elle demeurerait sur son canapé,
comme une grande bête lasse.
Et des relents fétides se mêleraient aux buées de son haleine.

Un jour que le pharmacien d'Eloa serait saoul,
il se tromperait,
et, au lieu de la morphine,
livrerait je ne sais quel redoutable alcaloïde.
Eloa tomberait malade
comme un cheval.
Ses extrémités deviendraient froides
comme celles d'un serpent,

123

et toutes les angoisses de la constriction
se donneraient rendez-vous dans sa gorge.

L'agonie commencerait.

Ma main dans la main d'Eloa,
Eloa me ferait jurer,
qu'elle morte,
je me tuerais.
Nos deux corps, enfermés dans la même bière,
se décomposeraient en de communes purulences.
Le jus confondu de nos chairs putrifiées passerait dans la même
    sève,
produirait le même bois des mêmes arbustes,
s'étalerait, viride, en les mêmes feuilles,
s'épanouirait, radieux, vers les mêmes fleurs.

Et, dans le cimetière,
au printemps,
quand une jeune femme dirait : *Quelle bonne odeur !*
cette odeur-là, ce serait, confondues, nos deux âmes subli-
    mées.

Voilà les dernières volontés d'Eloa.
Je lui promettais tout ce qu'elle voudrait, et même d'autres cho-
    ses.

Eloa mourrait.

Je ferais à Eloa des obsèques convenables, et,
le lendemain, je prendrais une autre maîtresse
plus drôle.

TOUT AU FOND

Tout au fond du corridor sombre,
Les poissons pleuraient lentement ;
Et l'on apercevait dans l'ombre
Valser des filles, à deux temps.
Au bout d'une heur' de c't exercice,
On demanda de toutes parts :
Est-ce un petit feu d'artifice,
Ou le gazouillis du têtard ?

(refrain)

Goui, goui, goui, goui, goui !
C'est le chant de la fauvette.
Goui, goui, goui, goui, goui !
C'est la voix du salsifis.
Goui, goui, goui, goui, goui !
C'est le cri de l'andouillette.
Goui, goui, goui, goui, goui !
C'est le chant du parapluie.

MON CŒUR

Mon cœur est une armoire à glace inexorable,
Où tristement gémit un vieux lièvre au doux râble :
Mon cœur est l'ostensoir des femmes sans aveu.
Vous ricanez, idiots ? Moi, j'y trouve un cheveu !
Mon cœur est un ruisseau qui ne bat que d'une aile.
Quand la hyène y vient boire, oh ! que tant pis pour elle !

125

FABLE DU MAURE ANDALOU,
DU BOUCHER CHARLES ET DE LA PETITE TOTOTE

I

Charles, malgré sa jalousie,
Emmena, ceci récemment,
Sa Totote à l'Andalousie.
Elle prit un Maure pour amant.

En un quart d'heure, ell' fut séduite.

Morale :

Les Maur's vont vite.

II

Cependant que Charles s'exclame.
Boucher, il ne veut découcher
D'avec sa « dame ».
Quelqu'un parle de le doucher.

Morales :

a) Mieux vaut être Maur' que boucher.
b) Mieux vaut être Maur' que douché.

III

Le Maure est magnifique et grand.
Mais, trop vite, il bout et s'emporte,
Il flanque Totote à la porte.
Ell' l'a mordu, c'est imprudent.

Morale :

Ne pas prendre le mors aux dents.

A LA MANIÈRE DE MADAME DE NOAILLES

Les guêpes de vol et de lucre
Arrivent pour le melon et pour le sucre.

Le bourdon, bruyant et grognon,
A dévoré tous les brugnons.

L'essaim tumultueux et pillard des abeilles
A bu le cœur juteux des cerises vermeilles.

Mon chat gris, ce tigre raté,
A lappé ma tasse de thé.

Une limace orange — horrible catachrèse ! —
A bavé sur les bonnes fraises.

Le frelon fusiforme au cœur perfide et bas
A pompé le bon chocolat.

Le rat, cette vile fripouille,
S'attaque à la grosse citrouille.

Le moineau du clos voisin
Picore l'âme d'or et d'ambre du raisin.

Puis, cynique, dépose sa fiente
Aux pétales de l'amaranthe.

Pensées musicales
et picturales

MARCHE FUNÈBRE

Composée pour les

FUNÉRAILLES D'UN GRAND HOMME SOURD

Précédée d'une Préface de l'Auteur

Préface

L'auteur de cette Marche funèbre s'est inspiré, dans sa composition, de ce principe, accepté par tout le monde, que les grandes douleurs sont muettes.

Ces grandes douleurs étant muettes, les exécutants devront uniquement s'occuper à compter des mesures, au lieu de se livrer à ce tapage indécent qui retire tout caractère auguste aux meilleures obsèques.

A.A.

Lento rigolando.

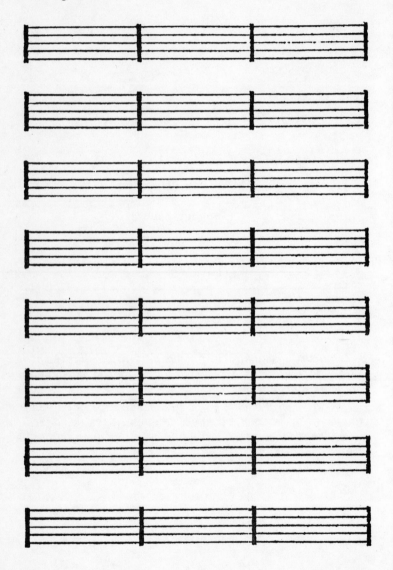

132

ŒUVRES PICTURALES D'ALPHONSE ALLAIS

Le grand « Alphi » fut également un fervent adepte de la peinture, lui qui préconisa : « L'aquarelle faite avec de l'eau de l'océan, qui se gondole à l'époque des grandes marées... »

Il est l'auteur de sept œuvres immortelles, que le monde entier nous envie, puisqu'elles symbolisent la base de la révolution picturale du XXe siècle... Jugez-en !

« Combat de nègres dans une cave pendant la nuit. » (un rectangle uniformément noir).

« Stupeur de jeunes recrues en apercevant pour la première fois ton azur, ô Méditerranée ! » (idem, bleu).

« Des souteneurs, encore dans la force de l'âge et le ventre dans l'herbe, boivent de l'absinthe. » (idem, vert).

« Manipulation de l'ocre par des cocus ictériques. » (idem, jaune).

« Récolte de la tomate par des cardinaux apoplectiques au bord de la mer Rouge » (idem, rouge).

« Bande de pochards dans le brouillard », (idem, gris clair).

« Première communion de jeunes filles chlorotiques par un temps de neige. » (idem, blanc).

Pensées
hétéroclites

Notre-Dame de Grâce, ordonne au vent gonfleur
De voiles, de souffler propice vers Honfleur !

A.A.

Il existe à Honfleur une place où naquirent, à quelques lustres de distance, le vaillant amiral Hamelin et celui qui écrit ces lignes. La postérité jugera.

***

En été, il y fait rudement chaud pour une si petite ville.

***

Honfleur, l'humble cité où je repose mes membre endoloris par la débauche, serait un séjour charmant s'il n'y avait pas tant de peintres.

***

En revenant de Villerville ou en y allant, ne pas manquer de visiter l'Hôtel de Ville de Criquebœuf. Ce monument, par son style et ses dimensions, rappelle à s'y tromper le tombeau de famille de M. Thiers au Père-Lachaise.

***

Si j'étais riche, je pisserais tout le temps.

***

Autant j'aime faire des cochonneries dans la vie, autant je déteste qu'on en écrive dans les livres.

***

Ça m'a réussi de ne pas me presser.
Qu'ajouterai-je de plus ?
Ma femme est charmante et j'ai enterré ma belle-mère ce matin.

***

Quatre lignes, ça n'a l'air de rien ; c'est énorme pour un garçon comme moi, éteint par les pires débauches et les plus inavouables passions.

***

J'ai toujours détesté le labeur et si je travaille, c'est dans le but unique de subvenir à mes débauches (je me passe aisément du nécessaire).

***

Je ne suis pas de ceux qui s'imaginent qu'ils n'ont qu'à ouvrir la bouche pour que les alouettes y tombent toutes rôties... Non, mais tout de même j'ouvre la bouche de temps en temps ...

***

Les confettis :
— Oui ... évidemment ... c'est immonde ... mais, qu'est-ce que vous voulez ? Ça fait aller le commerce du papier !

***

Un exposant de Livarot, frappé de mon grand air et me prenant pour un membre influent du jury, m'avait fait discrètement accepter six échantillons de son industrie ; j'ai regretté (mais j'y ai songé trop tard) de ne pas lui avoir demandé d'argent.

***

A une devanture de librairie, j'ai aperçu *Le Rouge et le noir* de Stendhal.

L'envie m'a pris de relire cet admirable livre et je l'ai acheté. Comme le libraire avait une bonne tête, je lui ai demandé :

— Vous n'auriez pas, du même auteur, *Pair et impair* ou bien *Manque et passe* ?

Et le commerçant, avec un aplomb infernal, m'a répondu :

— Pas pour le moment, monsieur, mais si vous le désirez, je peux vous le faire venir.

***

Allais, tout en sirotant un pernod, démontrait à ses amis la nocivité de l'absinthe.

— Cet élixir perfide, expliquait-il, est composé d'extraits de six plantes, dont trois stupéfiantes et les trois autres épileptisantes. C'est une liqueur vraiment diabolique.

— Et ces plantes ? demanda quelqu'un.

— Tout simplement l'anis, l'absinthe, à l'état sec, le fenouil vert, la badiane, l'armoise et la menthe.

***

Un problème d'arithmétique :

« Si une compagnie de cent vingt-cinq hommes met six heures pour aller de Caen à Falaise, combien de temps mettra un régiment de mille deux cents hommes pour ce même parcours ? »

***

Déjà célèbre, il rencontre à Honfleur son ancien camarade d'école devenu menuisier. Celui-ci, très gêné, ne sait pas comment entamer la conversation. « Tu sais, je suis navré, mais je n'achète jamais de tes bouquins. »

« T'en fais pas, mon vieux, moi non plus, je ne consomme pas beaucoup de tes planches. »

***

Une gare : Saint-Sauveur, sur la route d'Honfleur. Petite, mais jolie. Un train y passe le matin, un autre le soir. Allais fait demander le chef de gare.

— C'est pour une réclamation ?

— Du tout, mon ami. Au contraire, je vous fais tous mes compliments, vous avez une gare charmante. Mais comme elle est mal placée ! Vous auriez ça à Paris, vous feriez un argent fou...

***

Lorsqu'il était jeune journaliste, il avait pris l'habitude, chaque mois, de venir trouver le caissier du journal et de lui dire :

— Bonjour ! je viens toucher mon appointement.

Après quelques mois, le caissier ne put s'empêcher de lui faire remarquer qu'on devait dire : « mes » appointements.

— Oui, c'est vrai ! répondit Allais, mais je ne vais quand même pas déranger le pluriel pour si peu de chose !

***

Assis à la terrasse d'un café, il crie au garçon :

— Garçon ! un Picon grenadine ... et un peu moins de vent, s'il vous plaît !

***

Voyageant en Belgique, il envoya à l'un de ses amis un bouchon sur lequel il avait gravé ces simples mots : « Souvenir de Liège. »

***

Répondant avec trois mois de retard à une lettre de Jules Renard, il lui écrivit : « Excuse-moi d'avoir tant tardé à te répondre mais, quand la lettre est arrivée, j'étais au fond du jardin. »

***

Il avait dédicacé certains livres de sa bibliothèque du nom de personnages illustres :

« A Alphonse Allais, avec le regret de ne pas l'avoir connu. » Et il avait signé : VOLTAIRE.

***

A quelqu'un qui lui demandait un jour des nouvelles de Capus, il répondit :

— Capus travaille. Il n'est plus bon qu'à çà !

***

Jules Renard fut décoré — en-fin ! — mais dans une promotion qui n'était guère reluisante.

Allais jetant, ce matin-là, les yeux sur le journal, s'écria :

— Oh ! vous avez vu, ce pauvre Renard qu'on a décoré dans une rafle.

***

Un homme, un jour, l'interpelle de loin :

— Bonjour !

— Bonjour, vous-même, réplique Allais.

***

Dans son créneau de visée figuraient également ses anciens professeurs du lycée d'Honfleur avec qui il avait un contentieux. Ainsi M. Boudin, dont il lui arriva, pour boucher un blanc, d'annoncer la nomination dans l'ordre de la Légion d'honneur :

141

La France entière sera heureuse de voir récompenser le mérite.
M. Boudin est l'inventeur, comme on le sait, du ressort du même
nom.

Protestation véhémente de l'intéressé. Et rectification
d'Allais :

Contrairement à ce que nous écrivions dans notre précédent
numéro, M. Boudin n'a jamais rien inventé. Pas même le ressort
qui porte son nom.

... Ou M. Bal (son ancien prof' de sciences) :

Un hommage solennel vient d'être rendu au distingué cher-
cheur Théodore Bal. Bien avant M. Marconi, qui réalisa la télé-
graphie sans fil, M. Bal avait imaginé le fil sans télégraphie.

***

Sept villes se disputaient l'honneur d'avoir vu naître Homère :
Smyrne, Chio, Colophon, Salamos, Rhodes, Argos, Athènes.

— Vous oubliez la plus célèbre ! dit Allais.

— Ah ? mais il n'y en a que sept en tout et pour tout, n'est-ce
pas ?

— Huit, car la voix populaire a consacré Alaure la huitième.
Dit-on autrement que : « Homère d'Alaure » ?...

***

A un quidam, désirant emprunter une Bible dont on lui avait
conseillé la lecture :

— Nous en avons bien une, mais elle est grosse.

— Ah ! elle est grosse... Eh bien, j'attendrai.

***

— Vous voyez bien ce monsieur qui passe là-bas ?

— Oui ... eh bien ?

— C'est M. de C ..., l'ancien député bonapartiste du sud-ouest.

— Pas possible !

— Lui-même. En Gers et en Auch.

***

M. Allais père espéra longtemps que son fils lui succéderait en son officine ; il l'y avait pris comme aide et manipulateur.

Mais le jeune Allais se chargea de lui enlever toute illusion. Il témoignait d'une telle indifférence pour les clients que certains de ceux-ci s'en inquiétaient. Une vieille dame lui précisa un jour :

La dame. — Jeune homme, attention ! Je tiens absolument à ce que ce soit monsieur votre père qui exécute personnellement cette ordonnance.

Alphonse Allais. — Soyez sans crainte, madame. M. Allais père s'occupera lui-même de votre potion. Mais vous auriez tort de croire que je n'en ai pas empoisonné déjà de plus huppées que vous !

***

On se souviendra longtemps, à la pharmacie Charlard-Vigier, 12 boulevard Bonne-Nouvelle, ou à la pharmacie Jacob, 57 rue de Turbigo, du grand dépendeur d'andouilles de Vire (et petit rigolo) qui n'arrêtait pas de se payer la tête des clients.

« Un peu de migraine, sans doute ? » avait-il demandé à un monsieur chauve qui se plaignait d'un rhumatisme au genou.

Et cette dame qui déclarait, désignant son estomac :

— Je ne sais pas ce que j'ai, ça me monte, puis ça me descend et puis ça me remonte...

— Je vous demande pardon, madame, intervint le potard Allais : vous n'auriez pas avalé un ascenseur ?...

***

143

Il arrive au régiment, à Lisieux, et est aussitôt interrogé par son capitaine :

Le capitaine. – Allais ? Alphonse ?

Alphonse Allais. — Oui, mon capitaine.

Le capitaine. — Savez-vous lire ?

Alphonse Allais. — Un peu, mon capitaine.

Le capitaine. — Et écrire ?

Alphonse Allais. — Un peu, mon capitaine.

Le capitaine. — Et compter ?

Alphonse Allais. — Un peu, mon capitaine.

L'adjudant du jeune conscrit intervient :

L'adjudant. — Pardon, mon capitaine, mais cet homme est licencié es sciences.

Le capitaine. — Alors, vous vous fichez de moi ? Comment, vous êtes licencié es sciences et vous me dites que vous savez compter... un peu !

Alphonse Allais. — Si vous le permettez, mon capitaine, je vous ferai remarquer que votre demande n'avait peut-être pas toute la précision nécessaire, vu que le savoir est une chose relative. Je pouvais me croire autorisé à employer un terme moyen. Si je compte assez bien pour un licencié, cette connaissance du calcul serait tout à fait insuffisante pour un membre du bureau des longitudes !

***

Ses vingt-huit jours ne furent pas moins épiques. Il arrive au quartier, y est habillé, puis envoyé au rapport. Il se présente chez le capitaine-adjudant-major, frappe à la porte, entre et salue les officiers réunis là d'un cordial :

— Bonjour, m'sieurs-dames !

Bonjour, m'sieurs-dames ! dans une caserne !

Mais sa mine était si béate, son sourire si serein que le capitaine-adjudant-major se contente de froncer le sourcil, puis :

Le capitaine. — Vous désirez ?

Alphonse Allais. — C'est pour la permission.

Le capitaine. — Quelle permission ?

Alphonse Allais. — De la nuit. La permission de la nuit.

Le capitaine. — Ah ! oui... vous êtes marié ?

Alphonse Allais. — Oui, mon capitaine. Et même je suis bigame.

Le capitaine. — Bigame ?

Alphonse Allais. — Bigame.

Le capitaine, suffoquant. — Et alors ?

Alphonse Allais. — Je voudrais la permission de la nuit comme marié et la permission de la journée comme bigame.

***

Il visitait, un matin, les salles d'égyptologie du Louvre, sous la conduite d'un des conservateurs du musée. Devant une magnifique momie, il demanda quelques explications ; le guide s'empressa.

Le conservateur. — La reine que vous voyez là, dans ce sarcophage, vivait en l'an 2200...

Alphonse Allais. — Pardon ! avant ou après Jésus-Christ ?

***

Il se promenait sur les quais avec son ami Alfred Capus. Un gamin s'approche et supplie : « Avez-vous un petit sou, monsieur ? » Capus éloigne le gosse et poursuit la conversation. Mais Allais l'interrompt avec chagrin :

— Tu n'as pas honte ? Voilà un garçon qui ne me connaît pas et il s'inquiète de savoir si j'ai un sou ! Toi qui me connais depuis vingt ans, tu ne m'as jamais demandé si j'en avais, des sous ! Égoïste !!!

***

Il était à la terrasse du Napolitain, avec Robert de Flers. Passe un pauvre hère qui le salue, d'un grand coup de sa casquette.

Robert de Flers. — Tu connais ce pauvre bougre ?

Alphonse Allais. — C'est un malheureux sans le sou qui m'est reconnaissant de ce que j'ai fait pour lui.

Robert de Flers. — Qu'est-ce que tu as fait pour lui ?

Alphonse Allais. — Je l'ai abonné au *Journal des Rentiers.*

***

La fille du principal du collège, avec qui il flirtait doucement, lui disait un soir d'été, par un splendide clair de lune :

— Tiens ! la lune est pleine !

— C'est ma foi vrai, répondit Allais. Mais je vous jure que j'ignore qui l'a mise dans cet état !

***

Allais ne laissait passer aucune occasion de mystifier ses contemporains. Il entre chez une antiquaire rouennaise, demandant à voir une tabatière. L'antiquaire s'empresse, étale tout un lot de tabatières d'un grand prix. Alphonse Allais fait la moue :

Alphonse Allais. — Heu... non, non... ce n'est pas du tout ce que je voudrais...

L'antiquaire. — Est-ce que vous ne pourriez pas préciser un peu... ce que vous désirez ?

Alphonse Allais. — Je vais vous dire : tout cela est trop grand, beaucoup trop grand. Ce que je voudrais, c'est une tabatière pour un enfant du premier âge !

***

En voyage, il avait une façon très particulière de se faire réveiller dans les hôtels. Il inscrivait, au tableau de réveil, non pas son numéro de chambre, mais celui de ses voisins. De cette façon, prétendait-il, il était réveillé moins brutalement, et la pensée qu'il n'était pas le seul à arrêter son sommeil lui adoucissait le saut du lit.

***

A cette même époque, Alphonse voyait sa sœur (qui a, depuis, écrit sur son frère de si charmants souvenirs) repasser une leçon d'histoire, sur la conversion de Clovis par saint Rémi.

Alphonse Allais. — Tous ces manuels sont très incomplets. Le tien, par exemple, se contente de citer le mot de Saint Rémi à Clovis : « Courbe-toi, fier Sicambre ! » mais il ne dit rien de la réplique de Clovis.

Mlle Allais. — Quelle réponse de Clovis ?

Alphonse Allais. — Comment, tu ne sais pas ? Quand Clovis eut entendu les paroles du vieil évêque, il considéra du haut de sa stature de guerrier le vieillard tout voûté et il lui dit : « Et toi, cambre-toi, vieux si courbe ! »

***

Il entre dans une crèmerie, demande dix sous de lait, et tend pour recevoir le blanc liquide... un superbe vase de nuit :

La crémière. — Comment ?

Alphone Allais. — Je n'ai pas autre chose, madame.

La crémière. — Mais...

Alphonse Allais. — Après tout, qu'est-ce que ça peut vous faire, puisque c'est pour moi ?

La crémière. — Au fait !

Elle emplit sa mesure de lait et la verse dans l'étrange récipient. Alors :

Alphonse Allais. — Comment ! c'est tout ce que vous donnez pour dix sous ?... Vous pouvez le reprendre, votre lait !

Et de rejeter dans la jatte le lait du vase pour s'éloigner d'un pas tranquille sous les injures de la crémière écœurée.

***

Autre histoire du même genre. De passage à Londres, il constate — et avec quel regret pressant ! — que cette ville ne possède aucun de ces utiles édicules auxquels un empereur romain a donné son nom. Que faire ? Impossible d'attendre davantage. Voici, par bonheur, une pharmacie. Il entre. Le pharmacien s'avance :

Alphonse Allais. — C'est pour une analyse d'urine.

Le pharmacien. — *Well, sir.*

Alphonse Allais. — Avez-vous un récipient ?

Vous voyez la suite... Allais, soulagé, s'esquive en adressant un salut reconnaissant au potard :

— *Bye ! bye !*

***

Un jour de l'été 1898, par un soleil torride, il arrivait au haut du boulevard Saint-Michel, suant, mourant de soif. Il s'arrête à la terrasse d'un café, appelle le garçon :

Alphonse Allais. — Un demi, bien tiré...

Le garçon. — Un demi !... un !...

Alphonse Allais. — Mais vous me le porterez à la terrasse de la brasserie en face, de l'autre côté du boulevard.

Et il va s'installer en face. Le garçon connaissait Allais, qui n'était pas chiche de pourboires. Il prend le demi, le porte chez le concurrent... Mais voici notre humoriste aux prises avec les deux patrons, également surpris :

Les patrons, d'une même voix. — Vous vous moquez de moi, monsieur Allais... Qu'est-ce que c'est que cette mauvaise plaisanterie ?

Alphonse Allais. — Mettez-vous à ma place ! Vous, vous avez de la bière excellente, mais votre terrasse est en plein soleil... Vous, vous avez une terrasse délicieusement à l'ombre, mais votre bière est de la bibine !

Et les deux cabaretiers d'accepter ce paradoxal cumul.

***

L'historien Lenôtre possédait, entre autres pièces de collections, le pot de chambre de Marie-Antoinette.

— Il l'a payé cent francs, disait-on à Allais.

— Plein ?

***

A un Académicien : « Sous la coupole, vous vous prétendez immortels et pourtant vous ne dépassez jamais la quarantaine. »

***

Dans son appartement, 25, rue Royale, son petit musée secret possédait :
— une tasse avec une anse à gauche pour les gauchers ;
— le crâne de Voltaire enfant ;
— un véritable morceau d'une des nombreuses fausses croix authentiques de Notre Seigneur Jésus-Christ.

***

Et sur la porte de ses W.C., une pancarte libellée ainsi en magnifiques lettres onciales :
« Les personnes qui se servent habituellement de papier, sont priées de bien vouloir le rouler en boulettes du plus mince format possible afin de ménager la susceptibilité du tuyau de chasse qui s'engorge avec une déplorable facilité.
Simplement, en cinq mots, m...erci ! »

***

TOUCHANT SOUVENIR

Le récent anniversaire de Victor Hugo remet en actualité ce touchant souvenir.

Le 25 février 1802, lorsqu'on vint déclarer à la mairie de Besançon la naissance de l'illustre poète, le scribe municipal, en entendant décliner les nom et prénoms de l'enfant, ne put réprimer un mouvement d'admiration.

— Victor Hugo, oh ! oh !

Le soir, au repas de famille, il ajouta au menu ordinaire deux bouteilles de vin vieux. Comme sa femme et ses enfants semblaient étonnés de ce luxe :

— Nous pouvons bien faire un petit extra, ce soir, car c'est aujourd'hui qu'est né Victor Hugo, notre grand poète national.

Le Chat noir, 14 mars 1885

***

Une idée m'est venue à propos des dernières poursuites contre les journaux. Un des grands griefs du Parlement, c'est que certaines publications peuvent tomber dans des mains innocentes et chastes qui ne se doutent pas des horreurs contenues dans ces publications.

Voici ce que je propose au Gouvernement.

On classerait, dans un bureau organisé spécialement ad hoc, les livres et journaux en quatre catégories :

1) les publications tout à fait chastes, pouvant tomber dans toutes les mains ;
2) les publications un peu grivoises ;
3) les publications assez cochonnes ;
4) les publications tout ce qu'il y a de plus cochon.

La première série serait imprimée sur papier blanc ; la seconde sur papier rose ; la troisième sur papier chamois, et enfin la quatrième sur papier rouge.

De la sorte les gens ne pourraient pas se plaindre d'être trahis dans leur pudeur.

Si les choses risquées leur tombent sous les yeux, c'est qu'ils l'auront bien voulu.

***

LE PENDU BIENVEILLANT

Du plus haut de ces peupliers, il choisit la plus haute branche. Avec l'agilité du chat sauvage — l'infortune n'avait pas abattu sa vigueur — il y grimpa, attacha une longue corde, combien longue ! et se pendit. Ses pieds touchaient presque le sol.

150

Et le lendemain, quand, devant le maire du village, on le décrocha, une quantité incroyable de gens purent, selon son désir suprême, se partager l'interminable corde, et ce fut, pour eux tous, la source infinie de bonheurs durables.

***

FINIS BRITANNIAE

Nous avons le plaisir d'être les premiers dans la presse à annoncer l'imminente disparition de l'Angleterre.

L'Angleterre, vidée de sa houille, creusée au plus creux de ses sous-sols, délestée de ses minerais de fer, l'Angleterre est arrivée à un tel point d'allègement qu'elle flotte.

Depuis avant-hier, l'Angleterre flotte.

***

PLAN POUR UTILISER SA BELLE-MÈRE

Le plan consiste à la mettre sur une plaque de verre bien isolée du sol et à attendre que l'orage arrive : à ce moment-là, si Dieu est bon, elle est foudroyée ; elle se trouve réduite en noir animal, qu'on peut alors utiliser pour coller son vin. Et l'on s'écrie en claquant ses doigts : « Elle avait du bon, le tout était de trouver la manière de s'en servir ! »

***

LE THÉÂTRE

« Le Figaro » a donné des détails sur la saison théâtrale de Chicago, durant l'Exposition. Il n'a oublié que de mentionner la pantomime qu'on joua au « Ballskin Theater » et dont le titre est « Abraham Lincoln ».

Cette pièce, qui se termine par l'assassinat du célèbre président des États-Unis, jouit, là-bas, d'un vif succès, d'autant plus que les managers y ont introduit une innovation véritablement sensationnelle.

Le rôle de Lincoln était joué chaque soir par une personne nouvelle et, à la fin du spectacle, cette personne était réellement assassinée sous les yeux des spectateurs. Le prix du cachet de ce rôle appartenait aux héritiers désignés par l'acteur sacrifié.

***

Terrible accident. Un troupeau de locomotives sauvages, parqué dans les hangars de Versailles, s'est échappé la nuit dernière et s'est dirigé à toute vapeur vers Paris.

Ce troupeau, après avoir dévoré complètement le pont d'Asnières et ravagé une douzaine de villas, a pris la direction de l'ouest en poussant des sifflements terribles. Des télégrammes ont été lancés de tous côtés. La consternation règne dans le pays. Fort heureusement, aucun monument historique n'a été atteint jusqu'ici.

***

Dernière heure : une personne sûre, lisant ces lignes avant que je les envoie, me fait observer que Cana était une ville et non pas un monsieur qui épousait une dame.

L'heure avancée dont nous jouissons en ce moment m'interdit, à mon grand regret, toute rectification.

***

LE MONSIEUR ET LE QUINCAILLIER

(HISTOIRE ANGLAISE)

Le monsieur : Bonjour, monsieur.
Le quincaillier : Bonjour, monsieur.

Le monsieur : Je désire acquérir un de ces appareils qu'on adapte aux portes et qui font qu'elles se ferment d'elles-mêmes.

Le quincaillier : Je vois ce que vous voulez, monsieur. C'est un appareil pour la fermeture automatique des portes.

Le monsieur : Parfaitement. Je désirerais un système pas trop cher.

Le quincaillier : Oui, monsieur, un appareil bon marché pour la fermeture automatique des portes.

Le monsieur : Et pas trop compliqué surtout.

Le quincaillier : C'est-à-dire que vous désirez un appareil simple et peu coûteux pour la fermeture automatique des portes.

Le monsieur : Exactement. Et puis, pas un de ces appareils qui ferment les portes si brusquement...

Le quincaillier : ...Qu'on dirait un coup de canon ! Je vois ce qu'il vous faut : un appareil simple, peu coûteux, pas trop brutal, pour la fermeture automatique des portes.

Le monsieur : Tout juste. Mais pas non plus de ces appareils qui ferment les portes si lentement...

Le quincaillier : ...Qu'on croirait mourir ! L'article que vous désirez, en somme, c'est un appareil simple, peu coûteux, ni trop lent, ni trop brutal, pour la fermeture automatique des portes.

Le monsieur : Vous m'avez compris tout à fait. Ah ! et que mon appareil n'exige pas, comme certains systèmes que je connais, la force d'un taureau pour ouvrir la porte.

Le quincaillier : Bien entendu. Résumons-nous. Ce que vous voulez, c'est un appareil simple, peu coûteux, ni trop lent, ni trop brutal, d'un maniement aisé, pour la fermeture automatique des portes.

(Le dialogue continue encore durant quelques minutes.)

Le monsieur : Eh bien, montrez-moi un modèle.

Le quincaillier : Je regrette, monsieur, mais je ne vends aucun système pour la fermeture automatique des portes.

En rosse et en noir

(POUR SOLDE DE TOUT CONTE)

COMME LES AUTRES

La petite Madeleine Bastye eut été la plus exquise des jeunes femmes de son siècle, sans la fâcheuse tendance qu'elle avait à tromper ses amants avec d'autres hommes, pour un oui, pour un non, parfois même pour ni oui ni non.

Au moment où commence ce récit, son amant était un excellent garçon nommé Jean Passe (de la maison Jean Passe et Desmeilleurs).

Un brave cœur que ce Jean Passe et, disons-le tout de suite, l'honneur du commerce parisien.

Et puis, il aimait tant sa petite Madeleine !

La première fois que Madeleine trompa Jean, Jean dit à Madeleine :

— Pourquoi m'as-tu trompé avec cet homme ?

— Parce qu'il est beau ! répondit Madeleine.

— Bon ! grommela Jean.

Toute-puissance de l'amour ! Irrésistibilité du vouloir ! Quand Jean rentra, le soir, il était transfiguré et si beau que l'archange saint Michel eût semblé, près de lui, un vilain pou.

La deuxième fois que Madeleine trompa Jean, Jean dit à Madeleine :

— Pourquoi m'as-tu trompé avec cet homme ?

— Parce qu'il est riche ! répondit Madeleine.

— Bon ! grommela Jean.

Et dans la journée, Jean inventa un procédé permettant, avec une main-d'œuvre insignifiante, de transformer le crottin de cheval en peluche mauve.

Les Américains se disputèrent son brevet à coups de dollars, et même d'*eagles* (l'*eagle* est une pièce d'or américaine qui vaut 20 dollars. A l'heure qu'il est, l'*eagle* représente exactement 104 F 30 de notre monnaie).

La troisième fois que Madeleine trompa Jean, Jean dit à Madeleine :

— Pourquoi m'as-tu trompé avec cet homme ?

— Parce qu'il est rigolo ! répondit Madeleine.

— Bon ! grommela Jean.

Et il se dirigea vers la librairie Ollendorff, où il acheta *A se tordre,* l'exquis volume de notre sympathique confrère Alphonse Allais.

Il lut, relut ce livre véritablement unique, et s'en imprégna tant et si bien que Madeleine faillit trépasser de rire dans la nuit.

La quatrième fois que Madeleine trompa Jean, Jean dit à Madeleine :

— Pourquoi m'as-tu trompé avec cet homme ?

— Ah !... voilà ! répondit Madeleine.

Et de drôles de lueurs s'allumaient dans les petits yeux de Madeleine. Jean comprit et grommela : « Bon ! »

....

Je regrette vivement que cette histoire ne soit pas pornographique, car j'ai comme une idée que le lecteur ne s'ennuierait pas au récit de ce que fit Jean.

....

La cinquième fois que Madeleine trompa Jean...

Ah ! zut !

La onze cent quatorzième fois que Madeleine trompa Jean, Jean dit à Madeleine :

— Pourquoi m'as-tu trompé avec cet homme ?

— Parce que c'est un assassin ! répondit Madeleine.

— Bon ! grommela Jean.

Et Jean tua Madeleine.

Ce fut à peu près vers cette époque que Madeleine perdit l'habitude de tromper Jean.

DIEU

Il commence à se faire tard.

La fête bat son plein.

Les gais compagnons sont hauts en couleur, bruyants et amoureux.

Les chansons s'envolent, scandées par le cliquetis des verres et les cascades du rire perlé des belles filles...

...Et puis voilà que la très vieille horloge de la salle à manger sonne minuit. Les douze coups tombent, lents, graves, solennels...

Sans s'en douter, les gais compagnons ont mis une sourdine à leur tumulte, et les belles filles n'ont plus ri.

Mais Albéric, le plus fou de la bande, a levé sa coupe et, avec une gravité comique :

— Messieurs, il est minuit. C'est l'heure de nier l'existence de Dieu.

Toc, toc, toc !

On frappe à la porte.

— Qui est là ?... On n'attend plus personne et les domestiques ont été congédiés.

Toc, toc, toc !

La porte s'ouvre et on aperçoit la grande barbe d'argent d'un vieillard de haute taille, vêtu d'une longue robe blanche.

— Qui êtes-vous, bonhomme ?

Et le vieillard répondit avec une grande simplicité :

— Je suis Dieu.

A cette déclaration, tous les jeunes gens éprouvèrent une certaine gêne. Mais Albéric, qui décidément avait beaucoup de sang-froid, reprit :

— Ça ne vous empêchera pas, j'espère, de trinquer avec nous ?

Dans son infinie bonté, Dieu accepta l'offre du jeune homme, et bientôt tout le monde fut à son aise.

On se remit à boire, à rire, à chanter.

Le matin bleu faisait pâlir les étoiles quand on songea à se quitter.

Avant de prendre congé de ses hôtes, Dieu convint, de la meilleure grâce du monde, qu'il n'existait pas.

LES TEMPLIERS

En voilà un qui était un type, et un rude type, et d'attaque ! Vingt fois je l'ai vu, rien qu'en serrant son cheval entre ses cuisses, arrêter l'escadron, net.

Il était brigadier à ce moment-là. Un peu rosse dans le service, mais charmant, en ville.

Comment diable s'appelait-il ? Un sacré nom alsacien qui ne peut pas me revenir, comme Wurtz ou Schwartz... Oui, ça doit être ça, Schwartz. Du reste, le nom ne fait rien à la chose. Natif de Neufbrisach, pas de Neufbrisach même, mais des environs.

Quel type, ce Schwartz !

Un dimanche (nous étions en garnison à Oran), le matin, Schwartz me dit : « Qu'est-ce que nous allons faire aujourd'hui ? » Moi, je lui réponds : « Ce que tu voudras, mon vieux Schwartz. »

Alors nous tombons d'accord sur une partie de mer.

Nous prenons un bateau, *souque dur, garçons !* et nous voilà au large.

Il faisait beau temps, un peu de vent, mais beau temps tout de même.

Nous filions comme des dards, heureux de voir disparaître à l'horizon la côte d'Afrique.

Ça creuse, l'aviron ! Nom d'un chien, quel déjeuner !

Je me rappelle, notamment, un certain jambonneau qui fut ratissé jusqu'à l'indécence.

Pendant ce temps-là, nous ne nous apercevions pas que la

brise fraîchissait et que la mer se mettait à clapoter d'une façon inquiétante.

— Diable, dit Schwartz, il faudrait...

Au fait, non, ce n'est pas Schwartz qu'il s'appelait.

Il avait un nom plus long que ça, comme qui dirait Schwartzbach.

Alors Schwartzbach me dit : « Mon petit, faut songer à rallier. »

Mais je t'en fiche, de rallier. Le vent soufflait en tempête.

La voile est enlevée par une bourrasque, un aviron fiche le camp, emporté par une lame. Nous voilà à la merci des flots.

Nous gagnions le large avec une vitesse déplorable et un cahotement terrible.

Prêts à tout événement, nous avions enlevé nos bottes et notre veste.

La nuit tombait, l'ouragan faisait rage.

Ah ! une jolie idée que nous avions eue là, d'aller contempler ton azur, ô Méditerranée !

Et puis, l'obscurité arrive complètement. Il n'était pas loin de minuit.

Tout d'un coup, un craquement épouvantable. Nous venions de toucher terre.

Où étions-nous ?

Schwartzbach, ou plutôt Schwartzbacher, car je me le rappelle maintenant, c'est Schwartzbacher ; Schwartzbacher, dis-je, qui connaissait sa géographie sur le bi du bout du doigt (les Alsaciens sont très instruits), me dit :

— Nous sommes dans l'île de Rhodes, mon vieux.

Est-ce que l'administration, entre nous, ne devrait pas mettre des plaques indicatrices sur toutes les îles de la Méditerranée, car c'est le diable pour s'y reconnaître, quand on n'a pas l'habitude ?

Il faisait noir comme dans un four. Trempés comme des soupes, nous grimpâmes les rochers de la falaise.

Pas une lumière à l'horizon. C'était gai.

— Nous allons manquer l'appel de demain matin, dis-je, pour dire quelque chose.

161

— Et même celui du soir, répondit sombrement Schwartzbacher.

Et nous marchions dans les petits ajoncs maigres et dans les genêts piquants. Nous marchions sans savoir où, uniquement pour nous réchauffer.

— Ah ! s'écria Schwartzbacher, j'aperçois une lueur, vois-tu, là-bas ?

Je suivis la direction du doigt de Schwartzbacher, et effectivement, une lueur brillait, mais très loin, une drôle de lueur.

Ce n'était pas une simple lumière de maison, ce n'étaient pas des feux de village, non, c'était une drôle de lueur.

Et nous reprîmes notre marche en l'accélérant.

Nous arrivâmes enfin.

Sur des rochers se dressait un château d'aspect imposant, un haut château de pierre, où l'on n'avait pas l'air de rigoler tout le temps.

Une des tours de ce château servait de chapelle, et la lueur que nous avions aperçue n'était autre que l'éclairage sacré, tamisé par les hauts vitraux gothiques.

Des chants nous arrivaient, des chants graves et mâles, des chants qui vous mettaient des frissons dans le dos.

— Entrons, fit Schwartzbacher, résolu.

— Par où ?

— Ah ! voilà... cherchons une issue.

Schwartzbacher disait : « Cherchons une issue », mais il voulait dire : « Cherchons une entrée. » D'ailleurs, comme c'est la même chose, je ne crus pas devoir lui faire observer son erreur relative, qui peut-être n'était qu'un lapsus causé par le froid.

Il y avait bien des entrées, mais elles étaient toutes closes, et pas de sonnettes. Alors, c'est comme s'il n'y avait pas eu d'entrées.

A la fin, à force de tourner autour du château, nous découvrîmes un petit mur que nous pûmes escalader.

— Maintenant, fit Schwartzbacher, cherchons la cuisine.

Probablement qu'il n'y avait pas de cuisine dans l'immeuble, car aucune odeur de fricot ne vint chatouiller nos narines.

Nous nous promenions par des couloirs interminables et enchevêtrés.

Parfois, une chauve-souris voletait et frôlait nos visages de sa sale peluche.

Au détour d'un corridor, les chants que nous avions entendus vinrent frapper nos oreilles, arrivant de tout près.

Nous étions dans une grande pièce qui devait communiquer avec la chapelle.

— Je vois ce que c'est, fit Schwartzbacher (ou plutôt Schwartzbachermann, je m'en souviens maintenant), nous nous trouvons dans le château des Templiers.

Il n'avait pas terminé ces mots, qu'une immense porte de fer s'ouvrit toute grande.

Nous fûmes inondés de lumière.

Des hommes étaient là, à genoux, quelques centaines, bardés de fer, casque en tête, et de haute stature.

Ils se relevèrent avec un long tumulte de ferraille, se retournèrent et nous virent.

Alors, du même geste, ils firent *Sabremain !* et marchèrent sur nous, la latte haute.

J'aurais bien voulu être ailleurs.

Sans se déconcerter, Schwartzbachermann retroussa ses manches, se mit en posture de défense et s'écria d'une voix forte :

— Ah ! nom de Dieu ! messieurs les Templiers, quand vous seriez cent mille... aussi vrai que je m'appelle Durand !

Ah ! je me le rappelle maintenant, c'est Durand qu'il s'appelait. Son père était tailleur à Aubervilliers. Durand, oui, c'est bien ça...

Sacré Durand, va ! Quel type !

LA NUIT BLANCHE D'UN HUSSARD ROUGE

(Monologue pour Cadet)

Je me suis toujours demandé pourquoi on nomme nuits blanches celles qu'on passe hors de son lit. Moi, je viens d'en passer une, et je l'ai trouvée plutôt... verte.

Ce qui n'a pas empêché mon concierge, quand je suis rentré le matin, de me saluer d'un petit air... en homme qui dit :

— Ah ! ah ! mon gaillard, nous nous la coulons douce !

Et pourtant... Mais n'anticipons pas.

Il faut vous dire que j'étais amoureux depuis quelque temps.

Oh ! amoureux, vous savez !... pas à périr. Mais enfin, légèrement pincé, quoi !

C'était une petite blonde très gentille, avec des petits frisons plein le front. Tout le temps elle était à sa fenêtre, quand je passais.

A force de passer et de repasser, j'avais cru à la fin qu'elle me reconnaissait, et je lui adressais un petit sourire. Je m'étais même imaginé — vous savez comme on se fait des idées — qu'elle me souriait aussi.

C'était une erreur, j'en ai eu la preuve depuis, mais trop tard malheureusement.

Je me disais : « Faudra que j'aille voir ça, un jour. »

En attendant, je m'informe, habilement, sans avoir l'air de rien.

Elle est mariée avec un monsieur pas commode, paraît-il, directeur d'une importante manufacture de mitrailleuses civiles.

Le monsieur pas commode sort tous les soirs vers huit heures, se rend à son cercle, et ne rentre que fort tard dans la nuit.

« Bon, me dis-je, c'est bien ce qu'il me faut. »

Nous étions dans les environs de la Mi-Carême.

A l'occasion de cette solennité, j'avais été invité à un bal de camarades, costumé, naturellement.

On sait que j'ai beaucoup d'imagination ; aussi tous les amis m'avaient dit : « Tâche de trouver un costume drôle. »

Et je me déguisai, dès le matin, en *hussard rouge de Monaco*.

Vous me direz qu'il n'y a pas de hussards rouges à Monaco, qu'il n'y a même pas du tout de hussards, ou que, s'il y en a, ils sont généralement en civil.

Je le sais aussi bien que vous, mais la fantaisie n'excuse-t-elle pas toutes les inexactitudes ?

Tout en me contemplant dans la glace de mon armoire (une armoire à glace), je me disais : « Tiens, mais ce serait véritablement l'occasion d'aller voir ma petite dame blonde. Elle n'aura rien à refuser à un hussard rouge d'aussi belle tournure. »

Le fait est, entre nous, que j'étais très bien dans ce costume. Pas mal du tout, même.

Je dîne de bonne heure... Un bon dîner, substantiel, pour me donner des forces, arrosé de vins généreux, pour me donner du.. toupet.

Je boucle mon ceinturon, car j'avais un sabre, comme de juste, et me voilà prêt pour l'attaque.

En arrivant près de la maison de mon adorée, j'aperçois le mari qui sort.

Bon, ça va bien... Je le laisse s'éloigner et je monte l'escalier, doucement, à cause des éperons dont je n'ai pas une grande habitude et qui sont un peu longs chez les hussards rouges.

Je tire le pied d'une pauvre biche qui sert maintenant de cordon de sonnette.

Un petit pas se fait entendre derrière la porte, on ouvre... c'est elle... ma petite blonde. Je lui dis...

Au fait, qu'est-ce que j'ai bien pu lui dire ?

Parce que vous savez, dans ces moments-là, on dit ce qui vous vient à l'esprit et puis cinq minutes après on serait bien pendu pour le répéter.

Mais ce que je me rappelle parfaitement, c'est ce qu'elle m'a répondu d'un air furieux : « Vous êtes fou, Monsieur !... et mon mari qui va rentrer... Tenez, je l'entends. »

Et v'lan ! elle me claque la porte sur le nez.

En effet, quelqu'un montait l'escalier d'un pas lourd, le pas terrible de l'époux, impitoyable.

Tout hussard rouge que j'étais, je l'avoue, j'eus le trac.

Il y avait un moyen bien simple de sortir de la situation, me direz-vous. Descendre l'escalier et m'en aller tout bêtement. Mais, comme l'a très bien fait remarquer un philosophe anglais, ce sont les idées les plus simples qui viennent les dernières.

Je pensai à tout, sauf à partir.

Un instant, j'eus l'idée de dégainer et d'attendre le mari de pied ferme.

« Absurde, me dis-je, et compromettant. »

Et l'homme montait toujours.

Tout à coup, j'avise une petite porte que je n'avais pas remarquée tout d'abord, car elle était peinte, comme le reste du couloir, en imitation marbre, mais quel drôle de marbre ! un vrai marbre de Mi-Carême !

Dans ces moments-là, on n'a pas de temps à perdre en frivole esthétique.

J'ouvre la porte, et je m'engouffre avec frénésie, sans même me demander où j'entre.

Il était temps ! le mari était au bas de l'escalier.

J'entends le grincement d'une clef dans la serrure, une porte qui s'ouvre, une porte qui se ferme — la même, sans doute — et je puis enfin respirer.

Je pense alors à examiner la pièce où j'ai trouvé le salut.

Je vous donne en mille à deviner le drôle d'endroit où je m'étais fourré.

Vous souriez... donc vous avez deviné !

Eh bien ! oui, c'était là, ou plutôt... Ici !

Doucement, sans bruit, je lève le loquet et je pousse la porte... Elle résiste.

Je pousse un peu plus fort... Elle résiste encore.

Je pousse tout à fait fort, avec une vigueur surhumaine. La porte résiste toujours, en porte qui a des raisons sérieuses pour ne pas s'ouvrir.

Je me dis : « C'est l'humidité qui a gonflé le bois. » Je m'arc-boute contre le... machin, et... han ! Peine perdue.

Décidément, c'est de la bonne menuiserie.

Une idée infernale me vient... Si le mari, m'ayant aperçu d'en bas et devinant mes coupables projets, m'avait enfermé là, grâce à un verrou extérieur !

Quelle situation pour un hussard rouge !

Un soir de Mi-Carême ! Et moi qu'on attend au bal !

Non, non, ce n'est pas possible. J'éloigne de moi cette sombre pensée.

Et pourtant la porte reste immuable, comme un roc.

De guerre lasse, je m'assieds — heureusement qu'on peut s'asseoir dans ces endroits-là — et j'attends. Parbleu ! quelqu'un viendra bien me délivrer.

On ne vient pas vite... On ne vient même pas du tout.

Que mangént-ils donc dans cette maison ?

Des confitures de coing, sans doute.

De la rue monte à mes oreilles le joyeux vacarme des trompes, des cors de chasse, des clairons, et puis — terrible ! — le son des horloges, les quarts, les demies, les heures !...

Et le libérateur attendu n'arrive pas. Tous ces gens-là se sont donc gorgés de bismuth aujourd'hui ?

La prochaine fois que je reviendrai dans cette maison, j'enverrai un melon à chaque locataire.

De temps en temps, avec un désespoir touchant, je me lève, et, faisant appel à toute mon énergie, je pousse la porte, je pousse, je pousse !

Ah ! pour une bonne porte, c'est une bonne porte !

Enfin, épuisé, je renonce à la lutte. La poignée de mon sabre me rentre dans les côtes. Je l'accroche au loquet et je m'endors. Sommeil pénible, entrecoupé de cauchemars. Le bruit de la rue s'est éteint peu à peu. On n'entend plus qu'un cor de chasse qui s'obstine héroïquement dans le lointain.

Puis le cor de chasse va se coucher, comme tout le monde...

....

Je me réveille !... C'est déjà le petit jour. Je me frotte les yeux et me rappelle tout. Mon sang de hussard rouge ne fait qu'un tour. Rageusement, je décroche mon sabre et le tire à moi...

....

Je n'ose pas vous dire le reste.

Imbécile que j'étais ! Double imbécile ! triple imbécile ! centuple idiot ! milluple crétin ! J'avais passé toute ma nuit à pousser la porte...

Elle s'ouvrait en dedans !

LE COUP DU POÈME

Le jeune homme, la main frissonnante en sa blonde crinière s'assit, puis d'une voix ferme :

— Garçon, de quoi écrire !

...Il commençait à se faire tard, et déjà, des mazagrans piquaient de leur note brune émise la blondeur des vermouths.

— Voilà, monsieur, acquiesça le garçon.

Le jeune homme saisit une plume fébrile et traça ces mots sur l'albe papyrus :

> « C'est l'heure sainte
> de l'absinthe.
> Je vais me la payer
> Sans bourse délier
> Cela grâce au stratagème
> Connu sous le nom du Truc du Poème. »

Et comme le garçon s'informait de quel toxique s'abreuvait notre ami :

— Une absinthe — gomme ! commanda ce dernier.

Et ce dernier (puisque dernier il y a) continua d'inscrire :

> « On dit que l'absinthe perd nos fils
> Garçon, tout de même une absinthe Pernod fils
> Avec un peu de gomme
> Et plus vite que ça, mon bonhomme ! »

Le poète huma son breuvage, le rehuma jusqu'à ce qu'il n'en fut plus question ; puis ressaisissant la plume :

> « Diantre ! ici ça sent une cuisine
> Semblable à celle que ma cousine
> (Je m'en souviens encore !)
> Mijota dans le Périgord ! »

D'un airain sonore, il heurta le marbre de la table.

— Garçon, le menu !

— Voici, monsieur.

Mais, le jeune homme, sans jeter un regard sur la carte, se remettant à écrire :

> « Garçon, apportez-moi la nomenclature
> De votre nourriture. »

Et la petite fête se poursuit de plus belle.

A chaque plat qu'on lui apporta (et on lui en apporta !), le jeune homme composa — lapidairement — des poèmes relatifs, et, avouons-le, adéquats.

Sur la fin :

> « Allumez un autodafé
> Pour bien chauffer mon café,
> Accompagnez-le d'une belle eau-de-vie.
> Que chacun l'envie ! »

Puis, il griffonna d'autres vers, et se levant brusquement :

— Garçon, fit-il, veillez à ce qu'on ne touche pas à mes papiers.

— La main sur le cœur, s'engagea le garçon.

Le jeune homme sortit, de l'allure un peu pressée du monsieur qui va revenir.

Il ne revint point.

Et, plus tard, beaucoup plus tard, quand le patron sentit luire l'atroce vérité, il se décida à prendre connaissance du poème abandonné dont voici la fin :

> « Mon vieux patron,
> J'avais pas l'rond !
> Excuse mon stratagème,
> Puisque c'est à toi que je dédie ce poème,
> Maigre consolation. »

LE BON AMANT

En fumant des cigarettes, il l'attendait sur le balcon. Il faisait un temps froid et sec comme un coup de trique, mais il était tellement comburé par la fièvre de l'attente, que la température lui importait peu.

Enfin une voiture s'arrêta. Une masse noire sur le fond gris-perle du trottoir passa comme un éclair et s'engouffra dans la porte.

C'était elle.

Un peu suffoquée par les deux escaliers qu'elle venait de grimper comme une folle, elle entra, et fut aussitôt gloutonnement baisée sur ses petites mains et ses grandes paupières.

Puis alors il pensa à la regarder. Elle était vraiment charmante, d'un charme troublant et inoubliable.

Sa petite tête fine et brune, émergeant des fourrures, était coiffée d'un chapeau tyrolien de feutre gris de jeune garçon. Les bords en étaient rabattus très bas sur le front. Ses grands yeux paraissaient avoir de plus longs regards qu'à l'ordinaire, et elle s'était fait, ce soir-là, des mignons accroche-cœur, non pas à la manière des Espagnoles, mais de vraies petites guiches de jeune « dos ».

Après les premières effusions, quand elle se fut désemmitouflée :

— Mais il fait un froid de loup chez vous, mon cher !

Alors, très désespéré, il chercha fébrilement chez lui de vagues combustibles, mais en vain.

Vivant constamment au-dehors, il avait toujours négligé ce détail de la vie domestique.

Alors elle devint furieuse et cruelle.

— Mais c'est idiot, mon cher. Brûlez vos chaises, mais de grâce faites du feu. J'ai les pieds gelés.

Il refusa net. Son mobilier lui venait de l'héritage de sa mère, et le brûler lui paraissait un odieux sacrilège.

Il prit un moyen terme.

Il la fit se déshabiller et coucher.

Lui-même se dévêtit complètement. Avec un canif qu'il avait préalablement bien effilé, il s'ouvrit le ventre verticalement, du nombril au pubis, en prenant soin que la peau seule fut coupée.

Elle, un peu étonnée le regardait faire, ne sachant où il voulait en venir.

Puis, tout à coup, comprenant son idée, elle eut un éclat de rire et une bonne parole.

— Ah ! ça, c'est gentil, mon cher.

L'opération était finie.

Comprimant de ses mains les intestins qui s'échappaient, il se coucha.

170

Elle, très amusée de ce jeu, enfouit ses petits petons roses dans la masse brisée des entrailles fumantes, et poussa un petit cri.

Elle n'aurait jamais cru que ce fut chaud là-dedans.

Lui, de son côté, souffrit cruellement de ce contact très froid, mais l'idée qu'elle était bien le réconforta, et ils passèrent ainsi la nuit.

Bien qu'elle fut réchauffée depuis longtemps, elle laissa ses pieds dans le ventre de son ami.

Et c'était un spectacle adorable de voir ces petits pieds bien cambrés, dont la glaucité verdâtre des intestins faisait valoir la roseur exquise.

Au matin, il était un peu fatigué et même de légères coliques le tourmentaient.

Mais, comme il fut délicieusement récompensé !

Elle voulut absolument recoudre elle-même cette chaufferette physiologique.

Comme une bonne petite femme de ménage, elle descendit, en cheveux, acheter une belle aiguille d'acier et de la jolie soie verte.

Puis, avec mille précautions, comprimant de sa petite main gauche les intestins qui ne demandaient qu'à déborder, elle recousit de sa petite main droite les deux bords de la plaie de son bon ami.

A tous les deux, cette nuit est restée comme leur meilleur souvenir.

Le Chat noir, 24 janvier 1885.

LE PAUVRE BOUGRE ET LE BON GÉNIE

Il y avait une fois un pauvre Bougre...

Tout ce qu'il y avait de plus calamiteux en fait de pauvre Bougre.

Sans relâche ni trêve, la guigne, une guigne affreusement verdâtre, s'était acharnée sur lui, une de ces guignes comme on n'en compte pas trois dans le siècle le plus fertile en guignes.

Ce matin-là, il avait réuni les sommes éparses dans les poches de son gilet. Le tout constituait un capital de un franc quatre-vingt-dix.

C'est la vie, aujourd'hui. Mais demain ! Pauvre Bougre.

Alors, ayant passé un peu d'encre sur les blanches coutures de sa redingote, il sourit, dans la fallacieuse espérance de trouver de l'ouvrage.

Cette redingote, jadis noire, avait été peu à peu transformée par le temps, ce grand teinturier, en redingote verte, et le pauvre Bougre, de la meilleure foi du monde, disait maintenant : « Ma redingote verte. »

Son chapeau, qui lui aussi avait été noir, était devenu rouge (apparente contradiction des choses de la nature !)

Cette redingote verte et ce chapeau rouge se faisaient habilement valoir.

Ainsi rapprochés complémentairement, le vert était plus vert, le rouge plus rouge, et, aux yeux de bien des gens, le pauvre Bougre passait pour un original chromomaniaque.

Toute la journée du pauvre Bougre se passa en chasses folles, en escaliers mille fois montés et descendus, en antichambres longuement hantées, en courses qui n'en finiront pas. Et tout cela pour pas le moindre résultat.

Pauvre Bougre !

Afin d'économiser son temps et son argent, il n'avait pas déjeuné ! (Ne vous apitoyez pas, c'était son habitude).

Sur les six heures, n'en pouvant plus, le pauvre Bougre s'affala devant un guéridon de mastroquet des boulevards extérieurs.

Un bon caboulot qu'il connaissait bien, où pour quatre sous on a la meilleure absinthe du quartier.

Pour quatre sous, pouvoir se coller un peu de paradis dans la peau, comme disait feu Scribe, ô joie pour les pauvres Bougres !

Le nôtre avait à peine trempé ses lèvres dans le béatifiant liquide qu'un étranger vint s'asseoir à la table voisine.

Le nouveau venu, d'une beauté surhumaine, contemplait avec une bienveillance infinie le pauvre Bougre en train d'engourdir sa peine à petites gorgées.

— Tu ne parais pas heureux, pauvre Bougre ? fit l'étranger d'une voix si douce qu'elle semblait une musique d'anges.

— Oh non... pas des tas !

— Tu me plais beaucoup, pauvre Bougre, et je veux faire ta félicité. Je suis un bon Génie. Parle... que te faut-il pour être parfaitement heureux ?

— Je ne souhaiterais qu'une chose, bon Génie, c'est d'être assuré d'avoir cent sous par jour jusqu'à la fin de mon existence.

— Tu n'es vraiment pas exigeant, pauvre Bougre ! Aussi ton souhait va-t-il être immédiatement exaucé.

Être assuré de cent sous par jour ! Le pauvre Bougre rayonnait.

Le bon Génie continua :

— Seulement, comme j'ai autre chose à faire que de t'apporter tes cent sous tous les matins et que je connais le compte exact de ton existence, je vais te donner tout ça... en bloc.

Tout ça en bloc !

Apercevez-vous d'ici la tête du pauvre Bougre !

Tout ça en bloc !

Non seulement il était assuré de cent sous par jour, mais dès maintenant il allait toucher tout ça... en bloc !

Le bon Génie avait terminé son calcul mental.

— Tiens, voilà ton compte, pauvre Bougre !

Et il allongea sur la table sept francs cinquante.

Le pauvre Bougre, à son tour, calcula le laps de temps que représentait cette somme.

Un jour et demi !

N'avoir plus qu'un jour et demi à vivre ! Pauvre Bougre !

— Bah ! murmura-t-il, j'en ai vu bien d'autres.

Et, prenant gaiement son parti, il alla manger ses sept francs cinquante avec des danseuses.

ABSINTHES

Cinq heures...

Sale temps... gris... d'un sale gris mélancolieux en diable.

Il ne tombera donc pas une bonne averse pour faire rentrer tous ces imbéciles qui se promènent avec leur air bête !... Sale temps...

Mauvaise journée aujourd'hui, nom de Dieu !... La guigne... Feuilleton refusé... poliment :

— Très bien, votre feuilleton... sujet intéressant... bien écrit, mais... pas dans l'esprit du journal.

L'esprit du journal !... Joli, l'esprit du journal !... journal le plus idiot de Paris et de Seine-et-Oise.

Éditeur distrait et occupé :

— Rendez le manuscrit de monsieur... Très bien, votre roman... sujet intéressant... bien écrit, mais vous comprenez... affaires vont pas du tout... Très encombré et puis... pourriez pas faire quelque chose dans le genre de la *Grande Marnière ?* Bonne vente... décoration.

Sorti avec un air aimable et bête :

— Ce sera pour une autre fois...

Sale temps... cinq heures et demie...

Les boulevards !... Prenons les boulevards... peut-être vais-je rencontrer des camarades. Jolis, les camarades !... Tous des muffs... Peut compter sur personne à Paris ?

Sont-ils assez laids, tous ces gens qui passent !

Et mal fagotées, les femmes !... Et l'air idiot, les hommes !

— Garçon... une absinthe au sucre !

Amusant, ce morceau de sucre qui fond tout doucement sur la petite grille... Histoire de la goutte d'eau qui creuse le granit... seulement sucre moins dur que le granit... Heureusement... Voyez-vous : *absinthe au granit ?*

Absinthe au granit... ah ah ah ah... ah ah ah... Bien rigolo... absinthe au granit... faudrait pas être pressé... ah ah ah...

Presque fondu, maintenant, le morceau de sucre... Ce que c'est que de nous... Image frappante de l'homme, le morceau de sucre...

Quand nous serons morts, nous nous en irons comme ça... atome à atome... Molécule à molécule... dissous, délités, rendus au Grand Tout par la gracieuse intervention des végétaux et des vers de terre.

174

Serons bien plus heureux alors... Victor Hugo et Anatole Beaunacard égaux devant l'asticot... Heureusement !

Sale temps... Mauvaise journée... Directeur idiot... Éditeur bête à pleurer...

Et puis... peut-être pas tant de talent que ça, au fond.

C'est bon, l'absinthe... pas la première gorgée, mais après. C'est bon.

Six heures... Tout doucement les boulevards s'animent... A la bonne heure, les femmes maintenant !

Plus jolies que tout à l'heure... et plus élégantes ! L'air moins crétin, les hommes !

Le ciel est toujours gris... un joli gris perle... distingué... fin de ton... Le soleil qui se couche met sur les nuages de jolies roseurs de cuivre pâle... Et c'est très bien...

— Garçon... une absinthe anisée !

C'est amusant l'absinthe au sucre, mais zut... c'est trop long.

Six heures et demie...

En passe-t-il, de ces femmes !... Presque toutes jolies... et d'étranges, donc !

Et mystérieuses !

D'où viennent-elles ? Où vont-elles ? Saura-t-on jamais ?...

C'est à peine si elles me regardent... Moi qui les aime tant !

Chacune, en passant, me cause tant d'impression qu'il me semble que je ne l'oublierai jamais... Pas plus tôt disparue que je ne peux plus me souvenir du regard quelle avait.

Heureusement que celles qui viennent après sont encore mieux.

Je les aimerais tant si elles voulaient... Mais elles s'en vont toutes... Est-ce que je les reverrai jamais ?

Sur le trottoir, devant moi, des camelots vendent de tout... journaux... porte-cigares en celluloïd... petits singes en peluche... de toutes couleurs...

Que sont ces hommes ? Des broyés de l'existence, sans doute... des génies méconnus... des réfractaires... Comme leurs yeux sont profonds...

Quel feu sombre entre leurs prunelles !...

Un livre à faire là-dessus... unique... inoubliable... un livre qu'ils seraient bien forcés d'acheter !... tous !

Oh ! toutes ces femmes !...

Pourquoi pas une d'elles n'a l'idée de s'asseoir auprès de moi, de m'embrasser très doucement... de me câliner... de me bercer comme maman quand j'étais petit ?...

— Garçon... Une absinthe pure... Ayez donc pas peur d'en mettre.

L'HYDROPATHE

L'homme pauvre

Histoire navrante sanglotée par Coquelin Cadet

à Coquelin Cadet.

L'homme avait faim... et trois sous.

Très faim... et trois sous seulement !

A droite, la boutique d'un boulanger d'où s'exhalent d'enivrants parfums de pain chaud.

Et l'homme n'entre pas... Pourquoi ?

C'est qu'à côté de cet appétit invraisemblable existe chez lui une autre... passion, non moins impérieuse, quoique d'un esprit absolument contraire.

A gauche, un petit établissement moins suave que la boulangerie, mais dans certains cas aussi utile.

L'homme hésita longtemps.

Finalement, la seconde... passion l'emporte, et fiévreux, l'homme se dirige à gauche.

Il entre, donne ses trois sous à une dame très laide, mais excessivement sale, qui lui indique un... cabanon libre dans lequel il s'engouffre et là...

Là... oh ! bien horrible !

Vains efforts !

Rein !! rien ! rien !!!

L'homme sort de son cabanon, traverse l'établissement de la

dame très sale, mais excessivement laide, et d'un pas amer repasse devant la boutique du boulanger d'où s'exhalent d'enivrants parfums de pain chaud.

19 février 1879.

AMOUR SPECTRAL

Elle était sûrement morte, et sans doute depuis longtemps.

Par quel miracle d'équilibre, pouvait-elle encore se tenir si droite, sur sa haute chaise, derrière le comptoir de la brasserie ?

Comment remuait-elle encore, la caissière morte, et comment pouvait-elle, à chaque instant, répondre aux garçons et aux consommateurs ?

La grande habitude, sans doute, et un restant d'impulsion provenant de sa vie passée.

Elle avait dû, de son vivant, longuement exercer ce métier de dame de comptoir, car, malgré son décès prématuré (elle a dû trépasser dans sa trentième année), elle avait conservé une prodigieuse sûreté de main et une aisance singulière dans le maniement des jetons et des carafons.

Son teint était blême avec des reflets verdâtres qui se jouaient parfois dans l'ambre des flacons de cognac et dans les piles de morceaux de sucre, sur le comptoir, devant elle.

Ses cheveux, cendrés et abondants, avaient cet aspect recroquevillé qu'on remarque dans les chevelures de dames mortes.

Quelquefois, devant les clients très aimables, elle semblait oublier la tristesse de sa situation et elle souriait.

Alors ses lèvres décolorées s'ouvraient et découvraient des dents très belles, très blanches, bien rangées, mais des dents de morte, d'un ivoire mat et sec.

Le regard avait gardé de vagues lueurs qui attristaient, lorsqu'on les sentait traîner sur soi, et ses longues mains si blanches vous faisaient mal rien qu'à les voir.

Dans quel cercueil capitonné, sur quel lit funèbre la couchait-on le soir, après la fermeture ?

Par quels miraculeux antiseptiques avait-on pu arriver à une aussi complète conservation ?

Depuis longtemps je me posais ces questions, et tout doucement je sentais mon cœur s'amollir de tendresse pour la pauvre trépassée, qui n'avait pu trouver le repos qu'elle avait pourtant le droit d'exiger.

Elle s'en aperçut un jour, et elle voulut bien se départir avec moi de cette indifférence suprême que donne habituellement la mort.

Puis un beau soir, après le petit manège mutuel des yeux et des mots furtifs (elle était très surveillée par son patron), elle appuya sur mon bras son bras décharné et nous partîmes ensemble.

Pour rester jusqu'à la fermeture, j'avais dû boire beaucoup. De plus, l'étrangeté de la situation contribuait à m'enivrer, mais d'une griserie macabre et troublante.

Les vers et la musique de mon ami Rollinat me battaient dans la tête.

Elle me parlait de sa voix lente, douce, un peu trop grave pour une jeune femme, mais charmante pourtant.

Arrivé dans la chambre, j'eus un peu peur et, pendant qu'elle se dévêtait, je fermai les yeux.

A mon tour, je m'introduisis dans le lit.

L'approche de son corps froid et maigre me fit tressaillir.

Alors ce fut une série, jamais interrompue, de baisers fous, de caresses tortueuses, d'étreintes éperdues.

Le contact de mon amie morte, le timbre sépulcral de sa voix, la veilleuse dont la lumière pâle et verte se reflétait à l'infini dans deux glaces parallèles, tout contribuait à m'affoler.

Pas une minute de répit ne scanda l'ivresse de cette nuit bizarre.

Subitement, elle s'échappa de mes bras, ouvrit tout grands les rideaux et souffla la triste veilleuse.

Le soleil brillait.

O miracle ! O transformation !

Elle m'apparaissait éblouissamment rose et vivante.

Très maigre, mais de la maigreur charmante de l'adolescence, elle se tenait debout devant moi, me souriant doucement.

Elle pouvait avoir dix-sept ans.

Moi, n'en revenant pas, je la regardais bêtement, sans me rendre compte de cette délicieuse transformation.

Elle comprit mon muet étonnement, et s'approchant du lit, elle mit sur mes yeux deux longs et tendres baisers, en me disant de sa voix un peu grave :

« Je suis si reposée !... »

21 février 1885

POST MORTEM

Les dernières nouvelles qui nous arrivent du four crématoire du Père-Lachaise sont des plus rassurantes. Le caissier de cette crèmerie funèbre n'arrête pas de se frotter les mains, et, si les affaires continuent leur marche ascendante, l'administration se verra forcée de s'agrandir et de créer, un peu partout, de coquettes annexes.

C'est une victoire de plus à inscrire au Grand Livre du Progrès.

Est-ce à dire que la question soit résolue et qu'il faille s'en tenir là ?

Oh ! que non pas !

Les humains ont à choisir entre le séjour dans la terre et le passage dans le bûcher. Comme choix, c'est un peu restreint : beaucoup de mortels rêvent pour leurs dépouilles une élimination moins rebattue.

Un jeune et déjà célèbre chimiste propose, dans un opuscule paru l'année dernière (1), de transformer, grâce à l'immersion

_____

(1) *Une idée lumineuse*, une plaquette par Alphonse Allais, luxueusement éditée chez Paul Ollendorff, 28 *bis*, rue de Richelieu, ornée d'une splendide couverture en couleur par George Auriol.

Cette œuvre remarquable, dite avec un rare talent par M. Coquelin Cadet (méd. milit.), de la Comédie-Française, a obtenu le plus vif succès dans les salons et les concerts.

179

dans un liquide sulfo-azotique, les défunts en pièces d'artifice : fusées, pétards, chandelles romaines, soleils, bouquets allégoriques.

***

Cette pyrotechnie funéraire, non dépourvue d'un certain charme, donnait enfin une apparence de sens à l'expression ridicule de *feu Machin*.

L'idée du célèbre savant (n'est-ce point l'histoire de toutes les grandes inventions ?) a rencontré en France les plus vives oppositions. Elle est à l'étude chez quelques grands peuples d'Europe et autres. D'ailleurs, voici un fait démontrant que le dernier mot n'est pas dit sur cette intéressante question.

Je propose que l'on remplace l'incinération des défunts par un procédé nouveau, que j'appellerai : l'« inaération ».

Il faudrait d'abord dessécher le corps humain par évaporation, le plonger ensuite dans un liquide à base d'acide azotique qui le transforme en matière explosive analogue au fulmicoton. Il n'y aurait plus alors qu'à approcher une allumette pour qu'il monte droit au ciel.

***

SON DERNIER GAG

Le 27 octobre 1905, venu dans la capitale pour chercher sa femme et sa fille qui doivent arriver le lendemain de Bruxelles, il rencontre dans une rue de Paris Jules Renard qu'il n'a pas vu depuis longtemps, et lui dit :

— Demain, je serai mort ...

Sacré farceur d'Allais ! Toujours le mot pour rire, et Renard s'esclaffe.

Mais Allais, impertubable, rétorque :

— Vous trouvez ça drôle ! mais moi je ne ris pas. Demain, je serai mort ...

180

Et Jules Renard note consciencieusement cette phrase énigmatique dans son journal.

Le lendemain, 28 octobre, à 9 h 16, Alphonse Allais est mort à l'Hôtel Britannia, 24, rue d'Amsterdam, face à la gare Saint-Lazare, à deux numéros, dans la même rue, de la dernière demeure d'un autre Honfleurais de marque : Baudelaire.

***

FANTAISIE TRISTE

(poésie favorite d'Alphonse Allais)

I'bruinait... L'temps était gris,
On n'voyait pus l'ciel... L'atmosphère,
Semblant suer au-d'sus d'Paris,
Tombait en bué' su' la terre.

I' soufflait quéqu'chose... on n'sait d'où,
C'était ni du vent, ni d'la bise,
Ça glissait entre l'col et l'cou
Et ça glaçait sous not' chemise.

Nous marchions d'vant nous, dans l'brouillard,
On distinguait des gens maussades.
Nous, nous suivions un corbillard
Emportant l'un d'nos camarades.

Bon Dieu ! qu'ça faisait froid dans l'dos !
Et pis c'est qu'on n'allait pas vite ;
La moell' se figeait dans les os,
Ça puait l'rhume et la bronchite.

Dans l'air yavait pas un moineau,
Pas un pinson, pas un' colombe,
Le long des pierr' i' coulait d'l'eau,
Et ces pierr's-là... c'était sa tombe.

Et je m'disais, pensant à lui
Qu'j'avais vu rire au mois d'septembre :
Bon Dieu ! qu'il aura froid c'tte nuit !
C'est triste d'mourir en décembre.

J'ai toujours aimé l'bourguignon,
I' m'sourit chaqu' fois qu'i' s'allume ;
J'voudrais pas avoir le guignon
D'm'en aller par un jour de brume.

Quand on s'est connu l'teint vermeil,
Riant, chantant, vidant son verre,
On aim' ben un rayon d'soleil...
Le jour oùsqu'on vous porte en terre.

ARISTIDE BRUANT

182

ALPHONSE ALLAIS

par Jules RENARD

Allais. Et sa figure fleurie, ses cheveux d'enfant, sa barbe de fauve apprivoisé pour serre parisienne.

***

Allais, qui a toujours l'air entre deux vins, pas drôle entre deux vies drôles, entre deux ahurissements.

***

Allais en habit a l'air d'être son propre patron.

***

Allais, un homme qui s'excuserait de venir dîner sans sa femme en disant tout haut : « Elle a mal aux parties génitales. »

***

Allais ne rit que du coin de la bouche, ou il se met la main sur les lèvres, pour cacher l'âge de ses dents.

Cité par Jean DELACOUR
dans « Tout l'esprit de Jules RENARD »
Jacques GRANCHER, éditeur.

« Là où Alphonse allait, son Académie ira... »

Pierre Arnaud de Chassy-Poulay.

Créée lors de la commémoration du 80ᵉ anniversaire de la mort du « Prince de l'Humour » (1905-1985), l'Académie Alphonse-Allais a pour mission de défendre sa mémoire et de réhabiliter son œuvre.

Elle décerne avec le concours de la Municipalité de Honfleur :

LE PRIX LITTÉRAIRE NATIONAL ALPHONSE-ALLAIS

Pour tout renseignement, écrire au Secrétariat de
l'ACADÉMIE ALPHONSE-ALLAIS
58, rue Rambuteau
75003 PARIS BEAUBOURG

(joindre une enveloppe timbrée avec adresse pour la réponse ou un timbre seul si l'on ne demande rien.)

ACADÉMIE ALPHONSE-ALLAIS
Siège Social :
Hôtel de Ville de Honfleur, capitale de l'Humour

TABLE DES CHAPITRES

DANS LA MÊME COLLECTION

Les Pensées d'Alphonse Allais

Les Pensées de José Artur

Les Pensées d'Yvan Audouard

Pointes, piques et répliques
de Guy Bedos

Les Pensées de Tristan Bernard

Pensées, répliques et anecdotes
de Francis Blanche

Les Pensées des Boulevardiers :
Alphonse Karr, Aurélien Scholl,
Georges Feydeau, Cami

Les Pensées de Philippe Bouvard

Les Pensées d'Alfred Capus

Les Pensées de Cavanna

Pensées et anecdotes de Coluche
illustré par Cabu, Gébé, Gotlib,
Reiser, Wolinski

Et vous trouvez ça drôle ?
de Coluche

Les Pensées de Courteline

Les Pensées de Pierre Dac

Arrière-Pensées,
maximes inédites
de Pierre Dac

Pensées et anecdotes de Dalí

Les Pensées de San-Antonio
de Frédéric Dard

Les Pensées de Jean Dutourd

Les Pensées de Gustave Flaubert,
suivies du
Dictionnaire des idées reçues

Les Pensées d'Anatole France

Les Pensées d'André Frossard

Les Pensées, répliques et anecdotes
de De Gaulle
choisies par Marcel Jullian

Pensées, maximes et anecdotes
de Sacha Guitry

Pensées, répliques et anecdotes
des Marx Brothers

Les Pensées de Pierre Perret

Les Pensées de Jules Renard

Les Pensées de Rivarol

Les Pensées de Bernard Shaw

Pense-bêtes de Topor
illustré par lui-même

Les Pensées d'Oscar Wilde

Les Pensées de Wolinski
illustrées par lui-même